Les THIBAULT 10

チボー家の人々

一九一四年夏 III

ロジェ・マルタン・デュ・ガール

山内義雄＝訳

白水 u ブックス

チボー家の人々10　一九一四年夏Ⅲ　目次

四十八　七月二十八日・火曜日――ジャック、ベルリンにおもむく。フォンラウト訪問……7
四十九　七月二十八日・火曜日――シュトルバッハ大佐の書類カバン……19
五十　七月二十九日・水曜日――ブリュッセル。ジャック、《地区本部》の面々と再会……30
五十一　七月二十九日・水曜日――メネストレル、シュトルバッハの書類を点検す……43
五十二　七月二十九日・水曜日――《シルク・ロワヤル》での集会……57
五十三　七月二十九日・水曜日――ブリュッセルでの平和デモの夕……66
五十四　七月二十九日・水曜日――パタースン、アルフレダとの駆落ちのことをジャックに語る――メネストレルの自殺未遂……76

五十五　七月三十日・木曜日——ジャック、パリに帰る。ジェンニーへの三度めの訪問……85
五十六　七月三十日・木曜日——アントワーヌ、リュメルを訪問。フランス外務省のパニック状態……100
五十七　七月三十日・木曜日——アントワーヌ、シモン・ドゥ・バタンクールの来訪を受け、アンヌと別れる決心をする……113
五十八　七月三十日・木曜日——ジャック、ジェンニーをモンルージュの会合に同伴し、演説す……129
五十九　七月三十一日・金曜日——午前中のジャック。戦争脅威下のパリ……156
六十　七月三十一日・金曜日——ジャック、アントワーヌのもとで昼食を共にす……176
六十一　七月三十一日・金曜日——国防の義務にたいするジャックとアントワーヌの対立的態度……199
六十二　七月三十一日・金曜日——社会主義者仲間にあってのジャックとジェンニーの午後……222
六十三　七月三十一日・金曜日——ジョーレスの暗殺……236

六十四　八月一日・土曜日――午前中『ユマニテ』社におけるジャック……255
六十五　八月一日・土曜日――アンヌ、アントワーヌに会おうとしてはたさず……268
六十六　八月一日・土曜日――ジャック、ジェンニーのもとで昼食をとる……274
解説（店村新次）……289

四十八

朝の八時ごろ、ほとんど一睡もできずにハム駅についたジャックは、ドイツの新聞を買おうと思ってプラットフォームにおりた。

新聞は、異口同音に、オーストリアがセルビアにたいし、公式に《戦争状態》の宣言をしたことを責めていた。右翼系の諸新聞、汎ドイツ主義の『ポスト』紙、あるいはクルップの機関新聞である『ライン新聞』までが、オーストリアの政策のあまりに無茶な攻撃ぶりに《遺憾》の意をあらわしていた。カイゼルと皇太子との突然の帰還が、でかでかと大見出しで報道されていた。きわめてつじつまの合わないのは、大部分の新聞が――カイゼルが、ポツダムに帰り着くなり、すぐに首相および陸海軍の参謀総長と長時間にわたる重要な会議を開いたことを報道しながら――平和維持のため、カイゼルの力に大いに待つところありとの希望をかけていることだった。

ジャックが自分の車室（ひとつの客車がいくつかの車室に仕切られている）にもどってくると、おなじく新聞を買った夜行列車のおなじ車室の人たちが、しきりに報道について議論をたたかわしていた。その三人、そのうちのひとりは若い牧師で、彼の考え深げな眼差しは、ひざの上におかれた新聞より、むしろあけ放った窓のほうへそそがれていることのほうが多かった。他のひとりは、白いあごひげをはやした老人で、たしかにユダヤ人のようだった。さらにひとりは五十がらみの男、ふとって、陽気で、顔も頭もつるつるの男だった。彼はジャックへ向かってほほえみかけ、手にした『ベルリーナー』紙のひろげたのを振りかざしながら、ドイツ語でたずねてきた。

「あなたも政局に興味をお持ちですかな？　外国のかたでいらっしゃいますな？」

「スイスです」

「フランス系のスイスで？」

「ジュネーヴです」

「では、われわれよりずっとよくフランス人を知っておいでですな。ひとりひとりをとってみると、じつにいい人間でしょう。ところが国民として結束すると、なぜまたあんなわからずやになるんでしょう？」

ジャックは、あいまいに微笑してみせた。

おしゃべりなドイツ人は、牧師の眼差しを、つづいてユダヤ人の眼差しをうまくひっとらえた。そして言葉をつづけた。

「わたくしは、商売上のことでたびたびフランスに行きました。向こうには友だちもたくさんおります。わたくしは長いこと、ドイツの平和主義は、いずれはきっとフランスのいこじを改めさせてくれるにちがいない、そして、おたがいよく理解しあうようになるにちがいない、と信じていました。

ところがです、ああした気ちがいどもときたら、まったく手のつけようがありませんな。心底のところ、やつらは復讐のことしか考えていません。こんにちのやつらの政策にしても、それで万事説明できるというわけなんです」

「ドイツがそれほど平和を愛しているのでしたら」と、ジャックがうっかり口をだした。「それならそれでなぜ締盟国オーストリアにたいして平和主義的態度をしめしてやり、この場合、自分の気持ちをもっとはっきり打ちだそうとしないんです？」

「ところが、それをやっているんですよ……新聞をごらんなさい……ですが、フランスのほうでも、もし戦争をありがたくないと思うのだったら、この場合、どうしてロシアの政策をしり押しなんてするんでしょう？　ペテルスブルグでやったポワンカレの演説のごとき、その間の消息を語って余りありです。平和か戦争か、その鍵を握っているのはフランスです。あしたにもロシアが、フランスの軍隊をあてにできないことになったら、たちまち平和的商議に傾くにきまっていますさあ。と同時に、戦争の危険も、すっかりなくなるわけなんですよ！」

牧師もこの意見には賛成だった。老人も同様だった。老人は、数年間ストラスブールで法学教授をしていた男で、アルザス人が大きらいだった。

ジャックは、老人から葉巻をすすめられたのを、愛想のいい身ぶりでことわった。そして、議論にはいらないように用心しながら、一心に新聞に読みふけっているように見えた。

老教授が話しだした。彼は七〇年(普仏戦争)以後のビスマルクの政策について、皮相な、偏頗な意見を持っていた。彼は、ビスマルクが、もう一度軍事的に打ち負かすことによって、フランスを決定的にたたきつけようと思っていたことなどを、まったく知っていなかったし、少なくも知らない体をよそおっていた。そして、ドイツが、フランスに親しくなろうとしていくつかの手を打ったことだけしか思いだそうとしなかった。教授の言葉に導かれて、話は歴史的な方面へうつっていった。三人とも、おなじ意見だった。それに、三人の語るところは、まったくドイツ人大多数の考えにほかならなかった。

三人によれば、最近に至るまで、ドイツはつねにフランス国民にたいし、明らかに寛大な申し出をつづけてきたというわけだった。ビスマルク自身にしてさえ、かなりな危険をおかしながら、敗戦国民の急速な復興をゆるしてやることによって、彼の和協的な精神をしめしていた。復興をさまたげようと思うのだったら、わけなくできるはずなのだった。つまり敗戦後フランス国民を熱狂させていた植民地征服の欲望を、はばんでやりさえしたらよかったのだ。しからばあの三国同盟は？　それは、何人をも威嚇するものではないのだ。それは、当節において、軍事的同盟を意味するものではなく、当時ヨーロッパにおころうとしていた革命熱の沸騰にたいしてひとしく不安を感じていた三国元首が締結した保守的連帯協定にほかならないのだ。一八九四年から一九〇九年にかけての引きつづく十五年間、しかも露仏同盟成立の後においてさえ、ドイツは、政治的諸問題、とくにアフリカ問題処理のために、つねにフランスの協力を求めていたのだ。一九〇四年と五年において、ドイツ政府は、誠心誠意、はっきりした和協の申し出をくり返した。ところがフランスは、つねにカイゼルの差しのべる手を拒みつづけてきた！　フランスは、このうえなく好意に満ちた申し出にたいし、いつも猜疑的な、いやがらせの拒絶、ないし脅迫をもって答えてきた！　もし三国同盟の性格が変わってきたとしたら、その責めはフランスが負うべきものであり、すなわちフランスは、ツァーリズムとの不可解な軍事的同盟により、またその政府閣僚、とりわけデルカッセの行動によって、その対外政策がつねにドイツを敵とすることに向けられ、その目的がドイツ系国家を包囲するにあることを明らかにしめしていたといえるのだ。すなわち、三国同盟は、三国協商の発展にたいして、これと戦うべき防御的武器とならざるを得なかったのだ。三国協商なるもの、それは何人（なんぴと）の目にも、明らかにひとつの征服者的陰謀として映っている。征服者！　と言ったところで言いすぎではない。事実について見れば明らかなのだ。すなわちその三国協商のおかげで、フランスはあの広大なモロッコの土地をわが物とすることができたのだった。その三国協商のおかげで、ロシアは、他日、なんの危険をもおかすことなく、コンスタンチノープルに進出をゆるしてもらえるバルカン連盟を作りあげることができたのだった。その三国協商のおかげで、イギリスはまさに地球上の全海域にわたって、その絶対主義を不動のものたらしめることができたのだった！　こうした厚顔な帝国主義的政策にとって、ただひとつの障害となっているのがドイツ・ブロックにほかならなかった。三国協商の制覇を確保するためには、なんとしてもドイツ・ブロックの解体を考えなければならなかった。おりもおり、絶好の機会が到来した。フランスとロシアは、得たりとそれにとりついた。バルカン諸国の動揺とオーストリア政府の軽率な挙動とを得たりとして、いまや両国はドイツをしてオーストリアを非難させにかかったのだ。こうして、ドイツとその唯一の盟邦とに仲たがいをさせ、十年にわたる努力の結果として、ドイツをして、四面楚歌たるヨーロッパの中央に孤立させようとかかったのだ。

少なくともこれが牧師と老教授との意見だった。ふとったほうのドイツ人は、三国協商の目的とするところは、さらに攻勢的なものであるという意見だった。すなわちロシアは、ドイツをたたき倒そうと思っている、ロシアは戦争をしたがっている、というのだった。

「頭のあるドイツ人であるかぎり」と、彼は言った。「だんだん平和への信頼を失わずにはいられなくなっていまさあ。ロシアがポーランドの戦略的鉄道網を強化し、イギリスがロシアとの海軍協定を準備している事実を見せられたんですからな。三国協商が、三国同盟にたいして軍事的勝利による勢力確保を考えているという以外、そうした準備の意味がどこにあります?……いやおうなしに、やつらの戦争にひっぱりこまれるにきまってまさあ……それが今日のことでないとしても、一九一六年、おそくも、一九一七年にはまちがいなしというわけでさ……」そう言いながら微笑して見せた。「ところが、三国協商側は、大きな錯覚に陥ってますよ! ドイツの軍備は完全なんです! ドイツの刃先に触れたが最後、血を流さずにはすみますまい!」

老教授は微笑を浮かべていた。牧師も、重々しくうなずいて賛意を表した。この最後の点については、三人が三人とも、完全に、昂然として、意見の一致を見たのだった。

ジャックは、これまで幾度となくベルリンに来たことがあった。

《動物園前の駅でおりよう》と、彼は思った。《西部地区だったら、昔の連中に出会う危険がいちば

ん少ない》

ポツダム広場で秘密に落ちあうまでの二時間ばかりをなんとかしてすごさなければならない。そこで彼は、ウーラント町に住んでいるカルル・フォンラウトのところに身を隠すことにした。それは、リープクネヒトの友人のひとりで、思慮の点にかけても試験ずみの、信頼できる仲間だった。歯科医をやっているので、この時刻に行けば必ず家にいるだろうとジャックは思った。

ジャックは、老婦人とひとりの若い学生のふたりの客が待っていた客間の中に通された。フォンラウトは、その老婦人の客を呼ぶためにドアを細めにあけながら、ちらりとジャックを見た。だが、なんらようすにあらわさなかった。

二十分過ぎた。フォンラウトはふたたび姿をあらわすと、学生を呼びこんだ。そして、すぐに自分だけもどって来て、「で、きみは？」と、言った。

まだ若いにもかかわらず、ほとんど白いと言っていいほどなひとはけの髪が、栗色をした髪をふたつに分けていた。深くくぼんだ、そして金粉を散らしたような茶色の目の底には、いつに変わらぬ熱意が燃えていた。

「任務なんだ」と、ジャックはつぶやくように言った。「いま汽車を降りたばかりなんだ。一時間ばかり間がある。誰にも会ってはならないんだ」

「マルタに知らせてやろう」と、フォンラウトは、べつに驚いた色もなしに言った。「こないか」

フォンラウトは、ジャックをひとつの部屋に案内した。その部屋の窓近くでは、年のころ三十ばかりの婦人が、光線を背からうけて縫い物をしていた。部屋の中はひんやりしていた。そろいのベッドがふたつ、書物をいっぱいのせたテーブルが一脚、ゆかの上にはかごがひとつおかれていて、中にシャムねこのつがいが眠っていた。ジャックはとつぜん、これとおなじような部屋を見たことを思い浮かべた。落ちついた、静かな部屋、そこで自分とジェンニーが……

フォンラウト夫人は、ゆっくりと、針を縫い物の上に刺してから立ちあがった。頭にブロンドの髪をいただいた平板な夫人の顔からは、強い精力と平静さとの特殊な印象があふれていた。ジャックはこれまで幾度となく、ベルリンの社会主義者の集会で、いつも夫とつれ立った彼女に会っていた。

「いつまででもかまわない。ゆっくりしてくれ」と、フォンラウトが言った。「おれは仕事をしてくるから」

「コーヒーを召しあがる?」と、夫人が言った。

彼女は、盆を持ってきてジャックの前においた。

「どうかご自由に……ジュネーヴからいらしって?」

「パリから」

「あら!」と、夫人は興味を持ったようすで言った。「リープクネヒトは、目下の場合、すべてはフランス次第できまるんだって思っているのよ。フランスには、戦争絶対反対のプロレタリアがとてもおおぜいいるんですって。しかも、いいあんばいに、いま、内閣には社会主義者の閣僚がひとりいるんですって」

「ヴィヴィアニですか？　なあに、むかし社会主義者だっただけの男なんです……」

「フランスさえその気になったら、ヨーロッパにりっぱなお手本が見せてやれるのに！」

ジャックは、大通りでのデモのことを話して聞かせた。夫人の言うことはわけなく全部わかったが、自分自身ドイツ語で話すとなると、ちょっとゆっくりした話し方をしなければならなかった。

「こっちでも、きのう、町で乱闘さわぎがありましたのよ」と、夫人は言った。「負傷者が百人ばかり出て、そのほか五、六百人の人が拘引されたんですの。そして、今夜もまたあるでしょう……きょうは、戦争反対の公開集会が五十以上もあるっていうことですから……町という町で……そして九時には、ブランデンブルク門で大集会がありますの」

「フランスでは」と、ジャックが言った。「ぼくたちは、驚くほど無感覚な中産階級と戦わなければならないんです……」

フォンラウトがはいってきた。彼は微笑した。

「ドイツだっておんなじことさ……無感覚は、いたるところだ……これほど危機が切迫しているのに、議会で、誰ひとり外交委員会の召集を請求しないなんて、考えられることだろうか？……国家主義者たちは、政府にかばってもらえていると思って、その新聞宣伝は前代未聞の物すごさだ。毎日毎日、やれベルリンに戒厳令をしけの、やれ反対派の指導者全部を逮捕しろの、やれ平和主義者の集会を禁止しろのって要求している！　だが、そんなことはなんでもないんだ！　思いどおりにはいくまいから。いたるところ、ドイツのあらゆる都市で、いま、プロレタリアは動いている。反対している。

威嚇している……なんとも言えないすばらしさだ……一九一二年十月、レーデブールその他の連中といっしょに、《戦争にたいする戦争！》をさけんで、労働大衆を決起させてやったときをそのままなんだ……あのときは、政府は、資本主義国家の大動乱は、ヨーロッパ全土に革命運動をおこさせるにちがいないと見て取った。政府は、おそれをなして、政策の手綱を引きしめざるを得なかった。今度という今度も、われらの勝利は疑いなしだ」ジャックは立ちあがっていた。「もう行くのか？」

ジャックは、そうだというように首をさげてみせた。そして、夫人へ向かって別れを告げた。

「《戦争にたいする戦争》」夫人は、目を輝かしながらジャックに言った。

「今度という今度も、たしかに平和を救ってみせようぜ」フォンラウトは、ジャックを玄関のほうへ送って行きながら言いきった。「だが、それもいつまでの平和なんだか。おれもこのごろ考えだしたが、全面的戦争は避けられないな。そして、革命にしても、そこを通らなければだめなんだ……」

ジャックは、フォンラウトと別れるまえに、いまいちばん気がかりになっている問題のひとつについて、その意見をたたいてみずにはいられなかった。

ジャックは、相手の言葉をさえぎった。

「きみたち、オーストリアとドイツとの協調について何か確実なことを握ってるのかね？　ヨーロッパにたいして、どういう茶番を打ったというんだろう？　楽屋裏には何があったんだろう？　そこにしめしあわせた事実があったかなかったか、きみはどう思う？」

フォンラウトは、いじわるそうな微笑をもらした。

「やっぱりきみはフランス人だな！」

「フランス人？　と、いうのは？」

「あったか、なかったか、なんて言うからさ。《これか、あれか》だ……すべてをはっきりした形式に押しこまずにはいられない、これがきみたちの癖なんだ！　さも、はっきりした思想は、そのままア・プリオリに正しい思想ででもあるかのように！……」

こんどはジャックが、ちょっと当惑して微笑をもらした。《いったいどの程度の基礎があっての批評なんだろう？》と、彼は考えた。《そして、それはどの程度このおれにあてはまるんだろう？》

フォンラウトは、ふたたびまじめなようすにかえった。「しめしあわせているかって？　それは程度によりけりだ。ずうずうしく、大っぴらにしめしあわせて、ということははっきり言えない。おれはこう言いたい、《しめしあわせもしたろうし、しめしあわせもしなかったろうし》と……なるほど、最後通牒発表の日に、ドイツの指導者たちが見せた驚きぶりには、たしかに一面見せかけといったようなところもあった。だが、それも単に一面だけだ。世上の取りざたでは、オーストリア首相は、ヨーロッパの各国政府をだましたのとおなじ手口で、ドイツ首相をまんまとだました、つまり、ベートマン・ホルウェヒは、許すべからざる軽挙盲動をやってのけたといううわさだ。ベルヒトルトは、ドイツ外務省に、単に最後通牒の生ぬるい要領だけを送ったにすぎなかった。そして、ドイツに、あらかじめ各国政府をオーストリア政策支持のほうへ向かわせてくれるため、本文をさらに緩和してもいいと約束したということだ。ベートマン・ホルウェヒは、それを信じた。ドイツは、すっかり信用して、うかつに引きうけてしまったんだ……ベートマン・ホルウェヒが、イヤゴーが、そしてカイゼルが、ついに事の内容をはっきりそれと知ったとき、確実な筋から聞いた話だと、彼らは愕然としたということなんだ」

「その知ったというのはいつのことだ？」

「二十二日か二十三日」

「それだ！　パリでも聞かされたが、それが二十二日のことだとすると、ドイツ外務省には、最後通牒を手交するに先だち、まだオーストリア政府にはたらきかけるだけの余裕があったはずだ！　しかも、ドイツはそれをしなかった！」

「それはちがうぞ、チボー」と、フォンラウトが言った。「ドイツには、それだけの余裕がなかったと思うな。二十二日の夕方でも、万事は手おくれだったんだ。オーストリア政府に、本文変更をさせるためにも手おくれだった。各国政府に、オーストリアを警戒するように知らせてやるためにも手おくれだった。そこで、いやおうなしに窮地に立たされたドイツは、自分の面子を立てるため、ただひとつの方法しか持たなかった。つまり、ヨーロッパ全土をおびえさせるため、あくまで譲らないという態度を見せること、こうした威嚇によって、いやおうなしに引きずりこまれた危険な外交的危機をうまく切りぬけること……少なくもこれが一般の取りざたなんだ……しかも、きわめて確実な筋からの情報では、カイゼルは、きのうの朝までは、うまくやってのけたつもりでいたという、つまり、ロシアはたしかに中立を守るにちがいないと信じていたんだ」

「それはちがう！　ドイツが、ロシアの戦争意図を知らなかったなんて考えられない！」

「ようやくきのうになって、政府ははじめて、危険な行きづまりに踏みこんでいることに気がついたという……で」と、フォンラウトは若々しい微笑を見せながらつけ加えた。「今度のデモはことさら重大なものになってくるわけなんだ。逡巡している政府にたいして、大衆の警告が、決定的な働きかけをするわけなんだ！……ウンター・デン・リンデン（菩提樹（リンデ）の並木のあるベルリンの中心街の名）へやってくるかい？」

ジャックは、かぶりを振ってみせた。そして、それ以上なんの説明も加えずにフォンラウトに別れを告げた。

《フランス人の癖？》……と、ジャックは階段をおりながら考えていた。《はっきりした思想、正しい思想……そうだ……おれにとっては、そうじゃない……そうだ……おれにとっては――はっきりしていようがぼんやりしていようが――なさけないかな、思想は仮の踏み段にすぎない……そして、それこそおれの弱点なんだ――》

四十九

ちょうど正六時に、ジャックはポツダム広場のアッチンガー亭にはいっていった。これは、その名のついた民衆的カフェーの中でも主だった店のひとつで、ベルリンのいたるところの町にその支店ができていた。

ジャックはすぐに、トラウテンバッハが、ひとりぼっちで、野菜スープの皿を前にして小さなテーブルについている姿を見つけた。トラウテンバッハは、新聞を四つ折りにして水さしに立てかけ、それを読みふけっているふりをしながら、明敏な目で、入口のほうをうかがっていた。彼は、なんら驚いたようすを見せなかった。ふたりの青年は、まるで前日別れたとでもいったように、なんの感動も見せずに手を握りあった。それからジャックは椅子に腰をおろしてスープを注文した。

トラウテンバッハは、ほとんど黒いと言いたいほどのブロンドの髪、たくましい体格をしたユダヤ人だった。短く刈ったちぢれ毛は、その下に若い雄羊のようなひたいをあらわしていた。皮膚は白く、そこにはそばかすが見られていた。厚い、まきあがった唇は、顔の色とわずかに見わけられるほどの赤さだった。

「誰かほかのやつがやってくるんじゃないかと心配していた」と、トラウテンバッハはドイツ語でつぶやいた。「こうした仕事には、スイス人は安心できないんだ……ちょうどいい時に来てくれた。あしただったらまに合わなかった」彼は、わざとなにげないようすをよそおって、さもなんでもないことを話しているように、からしのびんをおもちゃにしながら微笑して見せていた。そして「なかなかむずかしい仕事なんだ——少なくもわれわれには」と、なぞのような言葉をつけ加えた。「きみには何もすることはないんだ」

「何もすることがない？」ジャックは、ちょっとすかされたような気持ちだった。
「これから話して聞かせることだけで、ほかには何も用はないんだ」

トラウテンバッハは、あいかわらず低いちょうしで、あいかわらず微笑をうかべた気楽そうな表情で、誰か注意しているものがあった場合にそなえて例の小さい笑いで言葉を区切りながら、手短に仕事というのを説明して聞かせた。

トラウテンバッハは、彼独特の天稟（てんぴん）によって、とくに国際的、革命的スパイ団といったようなものの中で、秘密班の指導に任じていた。ところで、数日まえ、彼は、シュトルバッハ大佐というオーストリアの将校がベルリンにやって来たことを嗅ぎつけた。その男は、陸軍省への秘密命令を持ってきているらしいということだった。そして、この場合、彼の訪独は、オーストリア、ドイツ両国参謀本部の共同動作をはっきりさせる目的を持ってきたものらしいことがじゅうぶん推定された。そこで、トラウテンバッハは、大佐の書類をくすねるという、大胆不敵な計画を立てたのだった。そして、そのためには、腕ききのふたりの仲間にてつだわせることにしておいた。――「その道の男なんだ」と、トラウテンバッハは、のみこんでいるような微笑を見せた。「そして、このおれ同様保証できる男なんだ」こうした話を聞かされても、ジャックはべつにおどろきもしなかった。彼は、トラウテンバッハが、長いことベルリンの盗人仲間で暮らしていたこと、そうしたうさん臭い社会に仲間があり、これまでにも、主義のため、それを利用していたことを知っていたからのことだった。

シュトルバッハは、宵のうちに、最後にも一度陸軍大臣と会うはずだった。泊まっているホテルには、今夜すぐにウィーンに出発することを言っておいた。すなわち一刻も猶予してはいられなかった。なんとしてでも、シュトルバッハが陸軍省を出てから汽車に乗るまでのあいだに書類を盗みとらなければならなかった。

もちろんジャックは、そうした盗みに手をかさないでもいいことになっていた。(じつのところ、彼はそれをむしろありがたく思った。)彼の役目は、単にその書類を受けとり、それをすぐにドイツから持ち出し、できるだけ早くメネストレルの手にわたすということだった。トラウテンバッハは、数年このかた、メネストレルとのあいだに特殊関係ができていた。メネストレルは、それをその書類の重要性いかんによって、翌日ブリュッセルに集まっているインターナショナルの指導者たちに知らせるかどうかをきめることになるだろう。で、ジャックは、あらかじめベルギー行きの切符を買っておき、今夜十時半から、フリードリッヒ・シュトラーセ駅の三等待合室で、さもぐっすり寝こんだふうをよそおってベンチの上に横になっている手はずになっていた。書類の包みは、新聞紙につつんで、ひとりの旅客によって彼のまくらもとにこっそりおかれる。そしてその男は、そのまま声をかけずに、すぐに姿を消す、という段どりになっていた。ジャックは、この最後の段どりを、二度くりかえして聞かされた。

「もう一杯ビールを飲もう」と、トラウテンバッハが言った。「そして別れよう」

ジャックは、何も言わずに聞いていた。何かぼんやりした気持ちの悪い感じだった。書類をくすねること――たといそれはどんなに必要なことであったにしても――どうも愉快に思われなかった。使命をさずけられたときにも、まさかそんな計画に荷担させられるものとは思っていなかった。彼は最初、そんなとるにもたりないことをたのまれたのが、かえってよかったと思った。だが、それと同時に、そんな臓品隠匿とか、使い走りとかいった消極的な役割をさせられることが、何かしらがっかりさせられたような、少し腹だたしいような気持ちだった……

トラウテンバッハと別れるまえに、ジャックは、フォンラウトに発したのとおなじような質問をかけてみた。オーストリア政府とドイツ政府とのあいだに、はたしてしめしあわせがあったかどうか、それをトラウテンバッハはどう考えているだろうか?

「ベルヒトルトとベートマン・ホルウェヒとのあいだに了解があったかどうか、それはおれも知らない……だが、オーストリア参謀本部とドイツ参謀本部とのあいだに通謀があったことは考えられるな。ドイツ政府が、ベルヒトルトとドイツ参謀本部とに、同時にいっぱい食わされたということさえ考えられるんだ……」

「ほほう!」と、ジャックは言った。「ドイツ軍部が、最初からオーストリアの参謀本部としめしあわせていたという証拠を握れたらしめたもんだ!……三週間以来ドイツの将軍連が、オーストリアの将軍連と腹をあわせてやった陰険な工作こそ、いまのドイツの政策について責任を負うべきものであり、それこそ現在ドイツをしてイギリスの仲裁申し出を拒否させているものだということをたしかめられるといいんだが!……」(ジャックとしては、書類の盗み出しに手をかすことを自分自身に理由づけるため、その書類が、主義のため、特別重要な役割をつとめるものであることを自分に納得させようという無意識的な必要を感じていた。）
「おれもそう思う。これははかり知れないほどの結果を持つことになるんだ……わが国の社会主義の領域の中で、このうえなく愛国主義的なやつらでさえ、きっと政府にたいして立ちあがらずにはいられなくなるだろう。だから、どうしても大佐の書類をのぞいてみる必要があるんだ！……きみはそうしていろ」と、トラウテンバッハは立ちあがりながら言いそえた。「おれがさきへ出るからな。では、駅には十時半だ。それまでは、おとなしくして、人の集まっているところを避けるようにするんだ。外には警察のやつがいるからな……」

今夜ということになっていたデモの脅威も、陸軍大臣をして、オーストリア参謀本部の非公式の密使伯爵シュトルバッハ・フォン・ブルーメンフェルトとの長時間にわたる最後的、決定的な談合を窮極まで押し進めさせることをなんらさまたげなかった。

会見は、九時十五分、きわめて友誼的な空気のうちに終わった。大臣は、大佐を正面玄関の階段の上まで見送るほどの慇懃（いんぎん）さをしめした。大臣は、そこで、守衛たちと専属副官の前で、大佐にむかって手を差しのべた。大佐は小腰をかがめながらその手を握った。大臣も大佐も平服姿だった。ふたりの顔は疲れていて、沈痛だった。ふたりは、ふくみを持った眼差しをかわした。それから大佐はずっしりとしたきつね色の書類カバンを小わきにかかえ、副官の後から、赤いじゅうたんの敷かれた広い階段をおりていった。大佐は、階段の下のところでふり返った。大臣は、親愛をこめた最後のあいさつをしようと、愛想よく大佐を見送っていた。

前庭には、省の自動車が待っていた。シュトルバッハが葉巻に火をつけ、車の奥に身を落ちつけているあいだに、副官は運転手のほうへ身をかがめ、デモを避けるため、そして、大佐の泊まっているクルフュルシュテンダムのホテルまでつつがなく送りとどけるための道順を教えてやった。

暑い晩だった。宵のうちに雨が降った。ところが、はげしい夕立は、涼しくなるどころか、町のなかに蒸風呂のような水蒸気をのこしていった。騒擾にそなえて、店々の灯火は消されていた。そして、まだ十時にもならないのに、すでにベルリンは、いつも夜明け近いころでなければ見られないような、おごそかな、陰気な姿を見せていた。大佐の目は、うわのそらのようすで、ひろびろとしたベルリンの遠見のながめのうえに投げられていた。大佐は満足げにこんどの旅行の実際的結果と、翌日ウィーンでフォン・ヘッツェンドルフに提出するはずの報告のことを考えていた。腰掛けに腰をおろしながら、大佐は機械的に書類カバンを自分のそばにおいた。彼は、それと気がついて、それを手にとると、ひざの上においた。それは新しいニッケルのとじ金のついたきつね色の皮カバンだった。ありふれた型のものではあるが、堂々たるカバンで、大臣が持ってもはずかしくないといったしろものだった。彼はそれを、ベルリンに着くなり、こんどの使命の必要上、クルフュルシュテンダムのカバン屋で買ったのだった。

自動車がホテルの前でとまると、ドア・ボーイがすぐに出迎えに出て、幾たびも頭をさげながらホールの入口まで案内した。シュトルバッハは、事務所の前で立ちどまり、軽い食事を持ってくるよう、そして勘定書をこしらえてくれるように命じた。夜の特急に乗ろうと思ってだった。それから、ふったからだに似あわしからぬ早い足どりでエレヴェーターまで行き、二階まではこばせた。

煌々と照らし出された人けのない大きい廊下の中には、ひとりのボーイが、配膳室の戸口のベンチに腰をおろしていた。シュトルバッハの見おぼえのない男だった。おそらく、二階付きのボーイの代理に来た男らしかった。男はすぐに立ちあがると、大佐の前を歩いて、その部屋のドアをあけた。それから電気スイッチをひねったあとで、すだれになった木製のよろい戸をおろした。部屋には窓がふたつついていて、天井はとても高く、金色の模様のついた黒い壁紙がはられていた。部屋は、青みがかった、タイル張りの化粧室につづいていた。

「何もご用はございませんでしょうか?」

「うん。スーツケースもできている。ただ、ひと風呂浴びたいな」

「今夜お立ちでいらっしゃいますか?」

「うん」

ボーイは、大佐が部屋にはいりながら、ドアのそばの椅子の上においたカバンのほうに何げない眼差しをおくった。そして、大佐が帽子をベッドの上にほうり、玉なす汗をかいているつるつるの首筋をハンケチでふいているまに、化粧室へはいっていき、湯を出した。そして、ふたたび部屋にもどってくると、大佐殿は、モーヴ色の絹のズボン下と靴下だけの姿になっていた。ボーイは、敷物の上におかれたほこりだらけの靴を手に取った。

「すぐにお持ちいたします」ボーイは、こう言って部屋を出ていった。

浴室と配膳室のあいだには、薄い壁があるだけだった。ボーイは、靴をラシャのぼろ切れでこすりながら、壁に耳をあてて物音に聞き入っていた。ずっしりとした大佐のからだが、音を立てて湯の中につかるのが聞こえたとき、ボーイはにやりと微笑を浮かべた。そして、戸棚の中から、きつね色をしたニッケルのとじ金のついた、そして中には反古(ほご)のつめこまれている、新しいりっぱなカバンをとり出した。彼は、それを新聞紙につつんで小わきにかかえ、靴を持って、部屋の戸口へ行ってノックした。

「おはいり!」と、シュトルバッハがどなった。

《だめだ!》と、ボーイはすぐに思った。大佐は、浴室のドアを大きくあけておき、こちらの部屋からは、浴槽(ゆぶね)のはしが見え、そこに桃色をした大佐の顔が出ていたからだった。

ボーイは、必ずしもはいろうとはしないで、靴を下におくと、紙包みを持って部屋を出ていった。

大佐が、ぬるま湯の中にあごまで沈め、いい気持ちになってぼちゃぼちゃやっていると、とつぜん電気が消えた。部屋も浴室も、同時にやみの中に沈んでしまった。シュトルバッハは、しばらくのあいだ待ってみた。だが、なかなか電気がつかないのを見ると、壁を手さぐりでさがし、ベルを見つけると腹だたしげにボタンを押した。

部屋の暗やみの中からボーイの声が聞こえてきた。

「お召しになりましたか?」

「どうしたんだ？　停電か？」

「いえ、配膳室にはついております……たぶんこの部屋のヒューズが飛んだのでございましょう。すぐお直しいたします……すぐでございます」

長い時が過ぎていった。

「どうしたんだ？」

「ごめんくださいまし……安全器をさがしていますので。そこのドアのそばにあったと思いますが……」

大佐は、浴槽（ゆぶね）の外へ首を出して、まっ暗な部屋のほうに目をみはった。そこには、ボーイのさがしまわっている音が聞こえた。

「どうも見つかりません」と、声がきこえた。

「ごめんくださいまし……外のほうを見てまいります。たしか安全器は廊下にあったと思います……」

ボーイはすばやく部屋を出ると、配膳室へ行って大佐のカバンを安全なところにおき、そしていそいで電気をつけた。

それから四十五分の後、シュトルバッハは、念入りにからだをふき、香水をふりかけ、着物をつけ、それから茶を飲み、ソーセージと果物をたべおわり、葉巻に火をつけてから時計を見た。そして、まだ時間が早かったにもかかわらず――彼は、せわしい思いをするのがきらいだった――事務所に電話して、スーツケースを取りにくるように命じた。

「いや、それはおれが自分で持って行く」と、大佐は荷物係のボーイが、ドアのそばの椅子の上におかれたきつね色のカバンを持ちかけたときに言った。

大佐は、それをボーイの手から取りもどすと、一瞥して、とじ金に異状のないのをたしかめ、もったいらしくそれを小わきにかかえ、忘れもののなかったのをたしかめてから部屋を出た。彼はこうしたいつもきわめてきちょうめんな男だった。

二階をおりるまえに、大佐はチップをやろうとしてボーイをさがした。だが廊下には人影が見えなかった。大佐は配膳室のドアを押した。だが、部屋の中はからっぽで、ボーイの姿は見えなかった。

「ばかやろう、しかたがない」と大佐は不服そうにつぶやいた。

そして、ウィーン行きの特急に乗りに行った。


ほとんどおなじ時刻に、ジュネーヴの学生エベルレ（ジャン・セバスティアン）は、フリードリッヒ・シュトラーセの駅でブリュッセル行きの列車に乗った。彼は何ひとつ荷物らしい荷物を持たず、ただひとつ、大きな本の包まれているような紙包みを持っていた。トラウテンバッハは、ちょっとのまを見て、とじ金をこわし、書類を新聞紙に包んでひもをかけ、きつね色の皮カバンは、いたずらに人目をひくばかりだというので、それを処分してしまったのだった。

《こんな書類を持っていて、もしドイツ領内であげられたら……》と、ジャックは思った。だが自分の《使命》がたったこれだけの危険を冒すにすぎないのをなさけなく思っていた彼は、むしろそうしたことのおこるほうがおもしろいと思い、それを危険だとは思いたくないと思っていた。《ジェンニーを心配させるほどのこともなかった！》と、彼は、憤然としたようすで思った。

だが途中、彼は洗面所へ行ってその紙包みを開いた。そして、税関吏の尋問を避けるため、ほうぼうのポケットや着物の裏に、できるだけわけてかくすことにした。さらに用心して、ドイツ領内最後に近い駅のひとつで、彼は車からおりて葉巻を何本か買った。国境で持物をたずねられたとき、それに答えるためだった。

何はともあれ、税関の検査は、彼をして不気味な数分間を経験させた。そしていよいよ列車がベルギー領の線路の上を走っていることをたしかめたとき、自分が汗ぐっしょりであることに気がついた。彼は自分の席にぐったり身を沈め、念入りにボタンをかけた上着の上に腕を組んだ。そしていい気持ちで眠りの中に落ちていった。

五十

六階建ての上から下にかけて、ブリュッセルの民衆会館はまるでもんすずめ蜂の巣のような騒ぎだった。国際社会主義本部では、朝から臨時総会を開いていた。各国政府の帝国主義的政策を粉砕しなければ、という切迫した努力は、ここベルギーの首府に、単にヨーロッパ各国の社会党のあらゆる指導者のみならず、水曜日の晩行なわれることになっている反戦集会に国際的反響の声をひびかせようとの決心をもっていたるところからはせあつまった、すばらしい数の闘士を集めていた。

党のため、メネストレルが提供した金のおかげで——(メネストレルとリチャードレーがどういうふうにして地区の秘密資金をまかなっているのか、それを知っているものはひとりもなかった)——党員のうちの十人ばかりがブリュッセルにやって来ていた。彼らは、会合の場所をアンスパッシュ通りに近い、リュ・デ・アールのビヤホール《獅子酒場》にきめていた。

ジャックが仲間と落ちあったのも、そしてシュトルバッハ文書の包みをメネストレルにわたしたのも、まさにその酒場でのことだった。(メネストレルは、時をうつさず席を立って、この戦利品に最初の検討を加えるため、自分の泊まっているホテルへ帰って一室にとじこもった。ジャックも、すこしおくれてそこへ行くことになっていた。)

はじめてジャックが姿をあらわしたとき、彼は歓声をもって迎えられた。第一にジャックを見つけたキルーフが、すぐに声をかけてきた。

「チボー！　よくやって来た！……どうだいその後は？　ぬくぬくとか！」

地区の定連は残らず顔をならべていた。メネストレルとアルフレダ、リチャードレー、パタースン、ミトエルク、ヴァンネード、ペリネ、薬種商のサフリヨ、セルゲイ・パヴロウィッチ・ゼラウスキー、腹でかのボワソニおやじ、《瞑想的アジア人》のスカダ、それに看護婦のヴェールの下にばら色の顔とブロンドの髪を見せている若いエミリー・カルティエまでがいた。キルーフは、出かけるまえから、《なにしろ土用の暑さだから》といって、なんとかしてそのヴェールを脱がせてやろうとしていたのだった。

ジャックは、みんなから出された手を微笑とともににぎっていた。彼は、こうしたベルギーの酒場で、とつぜんジュネーヴでの集会の親しい空気に触れることのできたのを、幸福に——想像していた以上に幸福に思っていた。

「ええ、おい」とジャックがフランスから来たものとばかり思っていたキルーフが言った。「カイヨー夫人はやっぱりきのう無罪になったのかい?……ところで何を飲む? きみもまたやつらのビールか?」(キルーフは、そうした《北方のやっこさんたちの飲むげす酒》を軽蔑しているのだった。そして、あくまで、あら口のヴェルモットに忠誠をささげていた。)

キルーフのはしゃぎかたは、まさにこの数日来、ジュネーヴでほとんど全般的に取りざたされていた楽観説をよくあらわしたものだった。メネストレルが以前ほど顔を出さなくなった《談話室》での議論は、インターナショナル的な夢をほとんど一歩も踏み出していなかった。そして、ヨーロッパ各地におけるさまざまな平和主義的デモは、はげしい感激をもって迎えられ、いかに不安なニュースにしても、それを揺り動かすまでにはいたらなかった。一行のブリュッセル到着、他のヨーロッパ代表との最初の接触、代表的指導者たちの出席、戦争反対のこのおごそかな団結、それらは彼らの中の大部分の者をして、よりいっそう、勝利のための、力強い、確固たる、インターナショナル的協力の証拠であると思わせていた。なるほどけさの電報は、セルビアにたいするオーストリアの宣戦、さらにゆうべからはじめられたベルグラード砲撃のことを報じていた。だが彼らは、オーストリアの覚書の報道によって、ただ城砦が数発の砲弾をうけただけであり、その砲撃にはなんら実際的な重要さがなく、それは交戦状態の序曲というより、むしろ警告といったようなもの、象徴的なデモンストレーションといったようなものにすぎなかったとのんきに思いこんでいた。

ペリネは、ジャックを自分のそばにかけさせた。ペリネは、午前中をフランス代表の根城であるアトランティック・ホテルのバーですごしてきたといって、そこからの最近のパリ情報をもたらしていた。彼の語るところによれば、きのう、下院の社会主義者の団体は、ジョーレスとジュール・ゲードに伴われてケー・ドルセー（フランス外務省）に行き、外相代理と長いあいだ話しあったということだった。その訪問の結果、党の代議士たちは声明書を起草し、その中で、《フランスのみフランスを支配し得る》ものであり、フランスは、いかなる場合にも、秘密条約を独断的に解釈することによって、おそるべき紛争に巻きこまれてはならない、したがって《きわめて短時日のあいだに、議会休会中にかかわらず、議会を召集すべき》であることを断固要求していた。つまりフランスの社会主義者たちは、議会方面に闘争を持っていこうとしていたのだった。ペリネは、フランス代表の元気のよさ、落着き、不動の希望から、とてもいい印象をあたえられていた。とりわけ、ジョーレスは、がんとして希望的見通しを表明していた。そして、彼の最近言ったという言葉が誇らしげに引用されていた。ペリネは、ジョーレスがヴァンデルヴェルドに向かって《見ていたまえ。アガディール事件の時とおなじになるから。なるほど上がり下がりはあるだろう。だが、事がうまくおさまらないはずはないんだ》と言っているのを聞いたことを伝えていた。そして、ジョーレスの楽観論を如実に物語る証拠として、《おやじ》は、昼飯後一時間からだがあいていたのを幸い、ゆうゆう美術館へ出かけて、ヴァン・エイク（十五世紀のフランドルの画家。フラマン画派の創始者とみとめられている）の作品を見ていたということまで話して聞かせた。

「おれは彼を見た」と、ペリネが言った。「そして、断言するが、彼はぜったい失望したらしい顔つきをしていなかった！　彼はおれのすぐそばを通っていった。例の重い書類カバンをかかえ、肩をいからし、麦わら帽子をかぶり、黒いモーニング姿で……いつ見ても、これから講義をしに行く大学教授といったようすだった……片方の腕を、おれの知らないひとりの男にあずけていた。あとになって聞いたのだが、それはドイツ人のハーゼだった……ところがだ……ちょうどふたりがおれのテーブルのそばを通りかかったとき、ハーゼは立ちどまった。そして、発音の悪いフランス語でこう言ったのが聞こえた。《カイゼルは戦争を望んでいません。戦争を望んではいないです。戦争の結果をとても恐れているのです！》すると、ジョーレスは顔をふり向けた。そして、目をかがやかし、口に微笑を浮かべて、こう答えた。《そんならカイゼルに、オーストリアを強力に牽制させさえすればいい。フランスでは、われらは政府をしてロシアを牽制させることができるだろう》ちょうどおれのテーブルの前だった……おれはふたりの言葉を、ちょうど諸君がおれの言葉を聞いているのとおなじように聞いたんだ」

「ロシアを牽制する……それならいまが潮どきだ！」と、リチャードレーがつぶやいた。

ジャックの目と彼の目が行きあった。そしてジャックは、リチャードレーが――それはたしかにメネストレルの考え方を反映しているものにちがいなかった――一般的楽観論ときわめて遠い気持ちでいるのを見てとった。この印象は、リチャードレー自身によってすぐにたしかめられた。すなわち、彼はジャックのほうへ身をよせて、問いかけるようなちょうしで、低い声でこう言った。

「それではまるで、フランスは、そしてフランスの指導者たちは――ロシアの動員を容認することによって、またロシアが、オーストリアの挑戦にたいする挑戦をもって応じ、ドイツの最後通牒にたいしてぜったい黙殺をもって応ずるのを容認することによって――すでに暗黙のうちに戦争を認めているとは言えないかな！」

「ロシアの動員は、まだ部分的なものにしかすぎないんだ」と、ジャックは、たいした確信もなしに口をはさんだ。

「部分的な動員だって？　それは、擬装された総動員とどこがちがう？」

奥のベンチの上、シャルコウスキーとリチャードレーのそばに腰をかけていたミトエルクの声が、ひびきわたった。

「ロシアだって？　ロシアは動員しているんだ。それはたしかなことなんだ！　ロシアは、ツァー的軍国主義者たちの手中にある！　いま、ヨーロッパのあらゆる国の政府は、おなじように反動勢力のとりこになっている！　その存在自身戦争を必要とするひとつの組織のとりこになっているんだ！　同志、これが事実だ！　スラヴ民族の解放？　そんなことは口実にすぎない！　ツァーリズムは、スラヴ民族を抑圧する以外に何をやったと思う？　ポーランドでは、そのスラヴ民族というやつを弾圧した！　ブルガリアでは、彼らを自由にしてやるように見せかけて、じつは、もっとはげしく抑圧した！　事実は、あの昔ながらの戦い、すなわちロシア・ミリタリズムとオーストリア・ミリタリズムの戦いが、ふたたび始められようとしているだけだ！」

となりのテーブルでは、ボワソニ、キルーフ、パタースン、それにサフリヨが、ますますわからなくなってくるドイツ政府の腹について、いつはてるともない論争をつづけていた。平和的抗議をくり返しているカイゼルが、どういうわけで仲裁をしぶっているのだろう？　すこし強力な忠告をあたえさえしたら、フランツ・ヨーゼフに、すでにみごとな成果をおさめている外交上の成功だけで満足させることはできはしまいか？　ドイツとしても、セルビアにオーストリア軍を侵入させて、そこになんらの利益がないのだ。社会民主党の連中の言ってるように、もしドイツにして戦争したくないというなら、ドイツをして、またヨーロッパをして、こうした危険にさらさせる理由がどこにある？……パタースンは、イギリスの態度には、なかなかそうかんたんにかたづけられないものがあると注意した。

「全ヨーロッパの注意は、これからイギリスへ向けられようとしている」と、ボワソニが、ものものしい口調で言った。「オーストリアの宣戦によってオーストリア・ロシア間の側面的会談がだめになったため、これからの談判は、イギリスの仲介を待たずにはつづけられないことになってきた。そこで、仲裁者としてのイギリスの役割は、きわめて重大なものになってくる」

ブリュッセルに着くなり、同国人であるイギリスの社会主義者たちをたずねて駆けまわっていたパタースンは、イギリス代表の連中が、イギリス外務省でのうわさをひじょうに心配していると確言した。外相グレーの側近では、有力な連中が、はっきり中立を宣言することは、むしろ間接にドイツ・オーストリアの好戦的意図に油をそそぐようなものであるという懸念から、外相に最後の決心をするように勧めているということだった。オーストリア・ロシア間の紛争勃発の場合、イギリスの取るべき中立的態度には変わりがないとしても、もしフランス・ドイツ間に戦端が開かれた場合、おなじように考えていてはまちがいだぞと、少なくもドイツにたいして警告を発しておいたほうがいい、と勧めていると言うことだった。あくまで中立を守ろうとしているイギリスの社会主義者たちは、グレーが、そうした圧迫にゆずったりはしないかとおそれていた。とりわけ今日、そうした宣言が、先週ほどにイギリスの世論によって反対されないだろうと思われるそれだけに。事実、最後通牒にしめされた前代未聞の苛烈さ、それにあくまでセルビアを攻撃しようというオーストリアの執拗さは、すでにイギリスで、オーストリアにたいする全般的憎悪の気持ちをわきあがらせていたのだった。

旅づかれしていたジャックは、こうした議論を、いささかうわのそらで聞いていたにすぎなかった。親しい顔ぶれに会えたことの楽しさも、思ったより早く消えかけていた。

彼は、ヴァンネード、ゼラウスキー、それにスカダが、低い声で話しあっているテーブルのそばへ近づいていった。

「今日」と、ヴァンネードが、例の笛を吹くような声で言っていた。「みんなは、ただ自分のことだけを考えて、たがいになんの同情も持たずに生活している……これだ、直さなければならないのは。なあ、ゼラウスキー……まず第一に人間の心だ。同胞愛というものは、外部から、法律によって作られるものではない……」彼はちょっと、見えざる天使たちのほうへ微笑してみせたあとで言葉をつづけた。「なるほど、そうしたものがなくっても、社会主義的組織（ソシアリスム）だけはできるだろう。だが、社会主義だったらぜったいだめだ。そのための第一歩さえ踏み出せまい！」

ヴァンネードには、ジャックが自分たちのそばに来たのが見えなかった。そして、とつぜんジャックの姿が目にはいると、顔を赤らめて口をつぐんだ。

スカダは、ビールのコップのそばに、とじめのくずれている何冊かの書物をおいていた。（彼のポケットは、いつも雑誌や書物でふくれていた。）ジャックは、うわのそらのようすで書物の標題に目をやった。『エピクテトス』……バクーニン著作集第四巻……エリゼ・ルクリュ『無政府主義と教会』……

スカダは、ゼラウスキーのほうへ身をかがめていた。半センチほどの厚みのある眼鏡のレンズのうしろには、球状をした彼の目が、おどろくほど拡大されて、まるで落とし玉子のように突き出していた。

「おれはちっともあせらないな」と、スカダは、指のつめで、それが癖とでもいうようなきちょうめんさで、ちぢれた、短い髪をすきながら、柔和な声で説明した。「おれが革命を望むのは、それはおれ自身のためではないんだ。それは、二十年、三十年、おそらくは五十年後、やってくるにちがいないんだ！　おれはちゃんと知っている！　そして、おれが生きるために、おれが行動するために必要なのは、ただそれだけでじゅうぶんなんだ……」

奥のほうでは、リチャードドレーがまた話しはじめていた。ジャックは耳を澄ました。リチャードドレーの予言するような言葉の中に、彼はメネストレルの考えを求めていた。

「戦争は、各国をして、その負債を平価切下げによって処理しなければならなくさせるにちがいない。戦争は、たちまち各国を破産へ向かって駆り立てる。それは同時に、零細な貯金者を裸にする。それはきわめて急速に、全般的な貧困をもたらすにちがいない。そして、資本主義組織にたいし、新しい犠牲者の大群を激し立たせることになるだろう。そして彼らは、追っぱらうことになるだろう、ひ――と――り――で――に……」

ミトエルクが言葉をさえぎった。ボワソニ、キルーフ、ペリネが、みな一度にしゃべり出した。ジャックは、耳をかすのをやめた。そして《いったい変わったのはこの自分なんだろうか？》と、考えてみた。《それともあの連中のほうだろうか？》彼には、自分の落ちつかない気持ちの原因がどうもよくわからなかった。《戦争の脅威は、われらの仲間を驚かせた……分裂させた……みんな、めいめい性情にしたがって反応をしめした……行動の必要、そうだ、全般的な、果敢な行動の必要。だが、それをわれわれのうちの誰ひとりやってみようとは思っていない……連中は、孤立し、分裂して、構えも統制も持っていない……これはいったい誰の責任だ？　おそらくメネストレル自身の……そうだ、メネストレルが待ってるはずだ》と、時計を見ながら思った。

ジャックは、パタースンのそばに腰をかけていたアルフレダのところへ行った。

「きみのホテルに行くには、どこ行きの電車に乗ったらいいのかしら？」

「行こう」と、パタースンが言って立ちあがった。「フレダとぼくで送ってやろう」

パタースンには、ちょうどイギリスの社会主義者で、ケヤー・ハーディーの友人だという男と会う約束があった。彼はジャックの腕を取り、あとから来るアルフレダの先に立って《獅子酒場》から出た。どうやら、とても興奮しているようすだった。ケヤー・ハーディーの友人で、ロンドンで新聞記者をしている男から、党のひとつの新聞のため、アイルランドの調査をたのまれたのだという話だった。もしその話がきまったら、パタースンは、翌朝未明に、イギリスに向かうことになっていた。こうした見とおしが彼をすっかり興奮させてしまっていた。大陸に来てから五年このかた、彼は一度も英仏海峡を渡ったことがなかったのだ！

日がかんかん照りつけていた。石だたみは燃えるようだった。重く町のうえにかかっている気だるさを、吹き払ってくれるそよとの風もなかった。上着なしでパイプをくわえ、頭には小さなハンチングをかぶり、白い首のあたりのシャツの胸をひらき、長い足をフラノの古ズボンにつつんだパタースンのすがたは、いつにもまして、旅に出たオックスフォードの大学生そのままだった。

アルフレダは、ふたりのそばを歩いていた。青い木綿の服は、洗いざらしで、しっとりした亜麻いろになっていた。黒いたれ髪、つんとした小さな鼻、人形のような大きい目、おとなしやかなようす、そして両手をぶらぶらさせているところは、まるで小娘とでもいったようだった。アルフレダは例のように、自分では何も口をきかず、ただ聞いているばかりだった。ところが彼女は、軽く声をふるわせながらこうたずねた。

「出かけるとしたら、こんどジュネーヴに帰ってくるのはいつ？」

パタースンは顔をくもらせた。

「わからないな」

アルフレダは、一瞬ためらうようだった。そしてパタースンのほうへ目をあげたと思うと、頬の上にまつげの影をふるわせ、すばやくまぶたを伏せながら、つぶやくようにこう言った。

「あなた、きっと帰ってくる？」

「帰ってくるとも」と、パタースンは元気よく答えた。そして、ジャックの腕をはなしてアルフレダのそばへ身をよせると、大きな手を、親しみぶかく女の肩の上にのせた。「そうさ……き――っと！」

三人は口をきかずにしばらく歩きつづけていた。

パタースンは、ポケットからパイプを出した。そして、歩きつづけながらすこし顔をあお向けにして、じっとジャックを、まるで何か品物でも見るようにながめていた。

「チボーの肖像のことを考えてるのさ……あと二回……ほんの短い時間、あと二回やったらできあがるんだが……あの作品、なんてまわり合わせが悪いんだ！」

パタースンは、いつもの若々しい声でからからと笑った。そして、ちょうどひとつの四つ辻を通りかかったとき、彼はジャックのほうを向いて、いたずらっ子らしいようすで、町かどにある小さな低い一軒の家を指さした。

「見ろよ。あれが若きウィリアム・スタンレー・パタースン君のお住まいなんだ。おれのベッド・ルームはとてもひろいぜ。お望みだったら、タバコひと包みと交換で、半分ゆずってやってもいいが」

ジャックはまだ自分の部屋をきめていなかった。彼は微笑しながら、

「たのむ」

と、言った。

「二階なんだ。窓のあいてる……二号室だ。おぼえているかい？」

アルフレダは、身動きもせず、目をあげて、パタースンの窓をながめていた。

「さて、ここらで別れよう」と、パタースンが言った。「駅が見えるだろう？　メネストレルの住んでる町は、ちょうどそのま裏だ」

「きみも行く？」と、ジャックがアルフレダに向かって言った。彼女もいっしょに、自分のところへ帰ることとばかり思っていた。

アルフレダは身をふるわせた。そしてじっとジャックをみつめた。そのひとみは、はげしいためらいに満ちているかのように大きく開かれていた。

一瞬の沈黙。

「いや。きみだけ行けよ」と、パタースンは、なにげないようすで言った。「じゃ、失敬」

五十一

最近の二週間というもの、メネストレルは、《地区本部》の同志たちに劣らぬ熱心さで《戦争にたいする戦争！》をとなえつづけていた。だが、インターナショナルの試みている戦争反対のあらゆる行動も、ぜったい戦争を防止し得ないだろうという確信だけは、なにものによってもゆるがされなかった。「真の革命的状態を作りだすためには、戦争が必要だ」と、彼はアルフレダに言っていた。「もちろん革命が、そうした状態、あるいはまた次の戦争、あるいは別の種類の危機を待って生まれてくるかどうか、そんなことは誰にも言えない。それは、じつにいろいろなことにかかっているのだ……それはとくに《最初の勝利》という事実にかかっている。では、まずどこの国が勝つか？　ドイツか、それともフランス、ロシアの両国か？　それはなんとも予測しがたい……われわれにとって、問題はそこにはない。われらの目下の戦術は、彼らの帝国主義的戦争をもって、やがてプロレタリア革命にたしかに転換させるだけの確信があるかのように行動することにある……現在の革命的先駆状態を、あらゆる方法によって激化させるんだ。すなわち、その出所いかんを問題とせず、あらゆる平和主義的善意による努力を集結するんだ。そして、あらゆる方法を講じて、擾乱を助長する！　できるかぎり多くの動乱を巻きおこさせる！　各国政府の計画を、最大限に妨害してやるんだ！」そして、彼は、心のうちにこう思っていた。《ただし、目的を踏み越えないようにすること。戦争をおくらせるおそれのある、あまり効果的な運動はすべて避けること》

ブリュッセルに着いた彼は、わざと《獅子酒場》から遠いところに宿をとった。そして、南部駅の裏手にあたる、あき地の奥の小さな家で暮らしていた。

二時間というもの、自分の部屋でひとり、シュトルバッハ文書とにらみあっていた彼は、いまではドイツ、オーストリア両国参謀本部の通謀の事実について、一点の疑いをも持っていなかった。そこには厳然たる証拠があった！……ジャックのもたらした戦利品は、ほとんどすべて、シュトルバッハが、ベルリンで、参謀本部の高官たちや陸相とのあいだにかわした会談を、毎日毎日書きとめておいたメモから成っていた。それは会談のすむごとに、彼がウィーンへ送った報告の材料になったものにちがいなかった。このメモは、現に両国参謀本部のあいだに行なわれている会談の内容を、はっきり照らしだしているだけでなく、そこには過去とは言え、つい最近のできごとに関係するさまざまなことが記されていたことから、この数週間のあいだの、ドイツ、オーストリア間の商議の経過をはっきり裏書きするところのものだった。こうして、過去にさかのぼって事実を闡明（せんめい）することによる興味はとても大きかった。それはメネストレルにとって、ウィーンの社会主義者オスメールが、ベームとジャックに託して七月十一日ジュネーヴで彼に伝達させた懸念を、みごと裏書きするものだった。そして、それによって、すべての事実の関連が築きあげられるのだった。

サラエヴォの暗殺事件を去るわずか数日の後、ベルヒトルトとヘルツェンドルフは、老帝をして、この機会を利用して直ちに動員令を発し、武力によってセルビアを粉砕する決心をさせるため、あらゆる策動をこころみた。ところが、フランツ・ヨーゼフ老帝はなかなか言うことを聞こうとしなかった。つまり、オーストリアが軍事的行動に出たら、必ずカイゼルの否認（ヴェト）にぶつかるにちがいないと思ってだった。《ほほう！》と、メネストレルは思った。《それは、つまり、彼がすでにきわめて明確にロシアからの干渉のおそれ、全面的戦争の危険を考えていたことを証明するものなのだ！……》そのとき、ベルヒトルトは、老帝の反対を踏み越えるため、自分の官房長のアレクサンドル・ホイヨスにドイツの同意を得ることの任務を授け、彼を直ちにベルリンに急派するという大胆不敵なことを考えついた。ホイヨスは、はたして最初カイゼルと宰相から拒絶された。つまりふたりとも、ロシアからの反撃をおそれるあまり、オーストリアに引きずられてヨーロッパ戦争にはいることなぞ考えてさえもいなかったのだ。ちょうどそのとき、プロシャの軍隊派が顔をだした。ホイヨスは、その軍隊派を、りっぱに統制のとれた、きわめて強力な片棒になってもらえるものと考えた。一九一三年二月以来、ドイツ参謀本部は、スラヴ禍について、またセルビアとロシアのあいだで、オーストリアにたいし

――したがってドイツにたいして企てられている陰謀について、何ひとつ知らないことがなかった。それどころか、ロシアが、セルビアと腹をあわせて、サラエヴォの暗殺事件に、ある程度間接な片棒を担ったにちがいないとさえにらんでいた。だが、ドイツの将軍たちは、まるで公理とでもいったように、ロシアは、どんな場合にも、すぐ戦争には飛びこめない、少なくともここ二年間は――その軍備が完了するまでは――どんなできごとにも巻きこまれないだろうと公言していた。こうしてホイヨスにあおられたドイツ軍首脳部たちは、カイゼルとベートマン・ホルウェヒに、現在のヨーロッパ情勢のうえから見て、ロシアの一徹さのために全面的戦争がひき起こされるおそれはかなり薄弱であり、いまこそドイツの威力をはなばなしく発揮すべき絶好の機会であると納得させることに成功した。こうしてホイヨスは、オーストリアが自由に立ちふるまっていいという権利を手に入れ、オーストリアがいかなる要求をしたにせよ、ドイツが必ずこの締盟国を支持するであろうという約束をウィーンにもたらすことができたのだった。すなわちこれによって、最近数週間にわたって不可解きわまるオーストリアの政策も理解されてくるのだった。いっぽうそれは、そのころ以来、カイゼルと、その側近の者たちが、戦争の蓋然性、でないにしてもその可能性を、多少おぼろげながらも認めていたことを証明するところのものだった。

《この事実を、自分ひとりだけで知ることができてよかった》と、メネストレルはすぐ思った。《あやうくジャックとリチャードレーをてつだいに来させるところだった!》

メネストレルは、立ったまま、ベッドにかがみこんでいた。ほかに場所がないため、彼はベッドの上に、書類をかんたんにいくつかのたばに分類して並べておいた。彼は自分の右手にあったメモを取った。それらはすべて比較的過去に属するもの、七月はじめのできごとに関するところのものだった——そして、彼は、それらを一枚の封筒におさめ、上に第一号と書いて封をした。

そのあとで、彼は椅子のそばへ歩みよって腰をおろした。

《こいつをもう一度調べ直してみるんだ》と、彼は、左のほうに積んであったメモを引きよせながら思った。《これが、シュトルバッハ君の使命の全部だ……こっちのたばは、オーストリアの作戦計画。戦略とか、専門的なこまかい書類。ぜんぜんおれの領分でない。これは第二号の封筒に入れる……これでよし……おれに関係のあるのは、このあとの部分だ……メモには、みな日付がついている。したがって、会談の経過を組み立てていくことはなんでもない……ところで使命の目的は？　大きな字で、ドイツの動員促進のこと、とある……これが最初のほうの書類だ……ベルリンにつくやいなや、モルトケと会見……等々……シュトルバッハ大佐は、ドイツ参謀本部が、その戦争準備を促進するように力説した……ところが、それにたいする返事は〈不可能ですな！　宰相が反対ですから。そして、宰相はカイゼルに支持されていますから！〉ほほう！　なんでベートマン・ホルウェヒが反対するんだろう！……彼は〈尚早！〉と言っている。それなら、その理由とするところを調べてみよう……第一、国内政治の面からの理由。やつめ、民衆のデモ、『フォルウェルツ』紙の攻撃、その他、等々にたいして憤激している……ははあ、心底では、社会民主党の激烈な抵抗にとても手こずっているんだな！……第二、対外政策からの理由。まず第一に、ドイツのため、中立国、特にイギリスの同意を確保すること……次にロシアの脅威のさらに強化されるのを待つこと。すなわち、ドイツ政府が〈あきらかに攻勢に出たロシア〉に直面するであろうとき、そのときはじめて、ドイツの社会主義者と同時に全ヨーロッパをして、ドイツが〈正当防衛の立場〉に立っていること、不本意ながら〈万一にそなえて〉動員するのだということを納得させることができるだろう……そのとおり！　みごとな論理だ！　しからば、ベートマン・ホルウェヒをして、いやおうなしに承知させるため、シュトルバッハとドイツ将軍たちはいかなる方策を取ろうというのだろうか？……これらのメモには、彼らの方策がいかにして生みだされたかがよくしめされている……すなわち、ロシアに、〈ドイツにたいして敵意ありと認められるような行動を、即刻取らせるようにしむけなければならない〉〈たとえば、ロシアに動員させるようにすること〉と、二十五日の晩、シュトルバッハが入れ知恵している。古い手だ！……それにたいしてドイツ側では〈なるほど。ところでそのためには、絶好の手段、唯一の手段がある。それは、もっぱらオーストリアとして取るべき手段、すなわちオーストリアの動員だ……〉と答えている。将軍たち、見かけほどにはばかでない！　すなわち、もしフランツ・ヨーゼフが全軍に動員令を出しさえすれば――〈シュトルバッハは注していわく、〈それはもはやセルビアにたいする脅迫にとどまらず、大ロシアにたいする明白な脅迫となるにちがいない〉――ツァーがいやおうなしに総動員をもって対さなければならなくなるだろうということを見越していたのだ。そして、ロシアが総動員令を発した以上、カイゼルもまた動員発令を拒むことができなくなるだろう。そうなれば、宰相には一言もないだろう。つまり、ロシアの侵攻というはっきりした脅威を直接原因としてのドイツの動員だったら、誰にも文句がないだろうから。対外的にも対内的にも、つまりヨーロッパの世論にしても、またロシアにたいしてすでに相当わいてきているドイツの世論にしてもさらに、社会民主党にしても、なんら文句はないだろう……そうだ、まさにそれにちがいない。ズデークンとその一党のごとき、あらゆる会議の席上、うるさいほどロシア禍をくり返していることだし！　べーベルにしても！　彼は、すでに一九〇〇年ごろから、もしロシアの脅威をうけるようなことがあったら、進んで銃を執ると公言していたのだから！……今度という今度、社会主義者たちは言質を問われることになるんだ。……わなにかかるというわけなんだ！……自分たちの張ったそのわなに！　つまり、自分たちの政府が、ロシア帝国主義にたいし、ドイツのプロレタリアを守ろうという以上、いやでも社会民主主義的の立てまえから、政府と協調しなければならなくなるんだ……思うつぼにはまったわけだ！　で、まもなくオーストリアの総動員！……こうしたわけで、シュトルバッハ君は、ベルリン到着のその翌日から、あとからあとからヘッツェンドルフへ電報を打って、オーストリアが決然総動員の線に向かうようにすすめている……これで万歳！　つまり、ベルリンの将軍たちは、オーストリアを仲に立てて、ロシアにたいして陰険なわなを張りつつある！　しかも、そのあいだ、カイゼルと宰相とは、そんなこととはつゆ知らず、安閑と葉巻をくゆらしておいでになるんだ！》

メネストレルは、いつもしなれた癖で、親指と人さし指で顔のこめかみのあたりをつまみ、そのまま指を、頰にそって、ほそくなったあごひげの先まですばやくすべらせた。

《絶好、絶好……このままどんどん進行していく！　とんとん拍子というわけなんだ》

メネストレルは、手早く夜具の上に散らばっていたメモをあつめた。そして、それを第三の封筒に入れてから、低い声でくり返した。

《自分ひとりで調べることにしてよかった！》

彼は、椅子の背にもたれて、両腕を組み、しばらくじっと身動きせずにいた。

明らかにこれらの書類は、はかり知るべからざるほど重要な《新事実》を提供していた。ドイツ社会民主党の人々は、わずかの例外をのぞいて、誰もこうした独墺両国間通牒の事実をさとっていなかった。帝制を痛烈に中傷してやまない人たちにしても、まさかドイツが、オーストリアの面目を立てるため、世界平和と帝国の将来を危険にさらすような愚挙はやるまいと考えていた。したがって、みんな公報を信じていた。すなわち、ドイツ外務省にとって、オーストリアの最後通牒は《寝耳に水》のことであり、あらかじめその正確な内容なり、挑戦的な性質なりがわからず、ドイツは、誠心誠意、オーストリアとその相手国家とのあいだに立って仲裁の労をとろうとしているものと信じていた。もちろん、きわめて勘のいい連中だけは、ドイツ、オーストリア両国参謀本部のあいだに、何か了解のできているらしいことをかぎつけていた。（午前中メネストレルが会ったブリュッセルに来ているドイツ代表ハーゼも、日曜日、政府にたいし、党の名において、独墺同盟は厳に防衛的性質のものであることを厳粛に通告しておいたと話していた。彼は、そうした通告にたいして、《だが、もしロシアがわれらの締盟国にたいして敵対行為のイニシアチヴを取った場合は？》とたずねられたことについて、何か漠とした不安を感じはした。だが、いままでのところ、ハーゼ自身、オーストリアの総動員が、ドイツ軍部により、ロシアのために投げられた、好餌のついた釣り針の役をつとめるものとは考えてさえもいないのだった！）したがって、シュトルバッハのメモが暴露したおおうべからざる共謀の証拠は、もしそれが社会民主党の指導者たちの手にはいった場合、まさに反戦闘争のための恐るべき武器となり得るところのものだった。すなわち、いままで彼らが、オーストリア政府にだけ向けていた激烈な攻撃は、たちまち自国政府にふり向けられることになるからだった。

《これほどすごい爆発力を持った武器》と、メネストレルは思った。《これをうまく使ったら、たしかに予測を絶するほどの効果を引きおこすことができるだろう……そうだ、どんなことでもできるだろう――まさに、戦争を流産させることだって！……》

しばらくのあいだ、メネストレルは、カイゼルと宰相とが、こうした証拠が白日のもとにさらされたのを見て震えあがり――そして、単にドイツ国民だけでなく、世界の世論までをも反ドイツ的立場にかり立てかねないほどのはげしい新聞攻勢にたたかれるであろうときのことを――そして、次のようなふたつのジレンマのあいだに立たされるであろうときのことを想像した。すなわち、あるいは、社会主義のあらゆる指導者を拘引することによって、公然とドイツ・プロレタリア、ヨーロッパのインターナショナルに戦いを宣する挙に出たものか（この推測はほとんど考えられないことだった）、あるいは、社会主義者の脅迫の前にかぶとをぬぎ、ホイヨスに約束した協力をオーストリアに拒絶することによって、いそいで出しかけていた手をひっこめるか。もしもそうなれば？　オーストリアも、ドイツの支持を失ってはいまさら戦争計画を固執するだけの勇気があるまい。そして、単に外交上の駆け引きだけで満足するにちがいない……そうなれば、資本主義的戦争計画はすべてくつがえされることになるだろう。

《どういうことになるかな！》と、メネストレルはつぶやいた。

彼は立ちあがると、ちょっと部屋の中を歩いていって、水を一杯飲んだ。それからふたたび書類のところへもどってきて腰をおろした。

《さあ、パイロット、戦術に手ちがいがあってはならないぞ！……ここにふたつの案がある。この武器を爆発させるか、それともそれを隠しておいて、もっと後のためにしまっておくか……第一の仮定。この書類を、たとえばリープクネヒトといったような男の手にわたす。と、たちまち怪聞はぱっとひろがる。これについてはふたつの場合が考えられる。すなわち、怪聞が戦争防止の結果をもたらさなかった場合と、戦争防止の結果をもたらし得た場合と。――まず、これが戦争防止の結果をもたらさなかった場合を想像しよう。たぶんそうした結果になると思うが、その場合、どういう利益があるだろうか？　つまり、プロレタリアは戦争へ行く、ただし、欺かれたという確信を胸に抱いて……これは、内乱のため、絶好のプロパガンダと言うべき機会だ……そうだ、ただし、風はいま、ちがった方向へ吹いている。いまやいたるところに戦時的精神状態が見られている。ここ、ブリュッセルでも、それはきわめてはっきり見られている……そうなると、社会民主党の指導者たちに、今日はたして、爆弾を爆発させるだけの勇気があるだろうか？　その点どうもおぼつかない……せめて彼らが、書類を『フォルウェルツ』紙上に発表した場合でも考えてみよう。たちまち押収とくるだろう。政府はあつかましくも否認の態度に出るだろう。そして、ドイツにおける民衆の心理状態から考えて、そうした否認のほうが、われらの摘発よりも、ずっと重きをおいて信じられるにちがいない……ところでこんどは、あらゆる予想を裏ぎって、リープクネヒトが、民衆の憤激と全世界の非難を利用し、カイゼルに二の足をふませ、戦争防止にみごと成功した場合を考えてみよう。このばあい、インターナショナルの力と大衆の革命的精神はもちろん高揚されるにちがいない……そうだ、だが……、だが、戦争を防止することがはたしていいか？　われらにとっての、まさに絶好の切り札なのに！……》

彼はしばらく、顔をこわばらせて、負うべき責任の重大さの前に立ちすくんでいた。

《いかん！》と、彼は低く言った。《いかん！……たとい百にひとつ戦争防止の機会があったにしても、断じてそれをやってはならない！》

彼は、なおちょっとのあいだ、深く考えこんでいた。

《そうだ……どう考えてみたところで……現在唯一の解答は、武器をみがいておくことにあるんだ……》

彼は身をかがめた。そして、決然たるようすで、ベッドの下から小型トランクを引きだした。

《すっかりこれにしまっておく……誰にも言わずにおくこと……時の到るのを待つこと！》

彼の考えていた時というのは、それは、士気の弛緩が、動員された大衆をいやおうなしに襲いはじめるであろう時であり、そして、そうした士気の弛緩をそそりたて、それを激化させるため、政府間の陰謀についてのこうした決定的な証拠をつきつけ、一大衝撃をあたえるために絶好と思われる時にほかならなかった。

彼は、短い微笑をもらした。何かに取りつかれた人とでもいったような微笑だった。《万事は何にかかっている？　戦争も、革命も、おそらくはある程度、このおれの持っている封筒三つにかかっているんだ！》

彼は、それを手にしていた。そして、機械的に、その重さをはかっていた。

誰かドアをたたく音がした。

「フレダか？」

「いや、チボーです」

「おお！」

メネストレルは、いそいで封筒をトランクの中にしまい、ドアをあけに行くまえに、それにかぎをおろした。

ジャックは、本能的に、まず書類の所在をさがすため、乱雑な部屋にぐるりと一瞥をあたえた。

「フレダはいっしょではなかったのか？」と、メネストレルは、不満らしい、ほとんど心配しているようなようすを見せながら、しかしたちまちそれをおさえてジャックにたずねた。「かけたまえ、と言いたいところだが」と、彼は、部屋のひとつの椅子いっぱいに積まれている女の衣装の山をしめしながら、おどけたように言った。「それに、これからちょっと出かけようとしていたところだ。民衆会館で、あの連中が何をやっているか、ちょっと見にいきたいと思ってね？」

「ところで……あの書類は……」と、ジャックがたずねた。

パイロットは、話しながらトランクをベッドの下に押しこんでいた。

「トラウテンバッハのやつ、まったくむだ骨折りをしたわけだった」と、彼は落ちつきはらって言った。「それに、きみにしても……」

「そうでしたか?」

ジャックは、参ったとようよりも、むしろあっけにとられていた。彼は、書類がぜんぜん無価値なものであろうなどとは考えてさえもいなかったのだ。彼は、もっと立ち入ってたずねようとしたがためらった。そして、思いつくままにこう言った。

「で、書類は?」

メネストレルは、足でトランクを指ししめした。

「今夜、本部で、すべてを報告されるんだろうとばかり思っていました……ヴァンデルヴェルドやジョーレスに……?」

パイロットは、ゆっくり微笑してみせた。それは冷たい、唇でというより、むしろ眼差しで見せられた微笑だった。そして、死人の色つやを思わせる顔のうえ、この眼差しで見せられた微笑には、いかにも鋭い、非人情的なものがうかがわれて、ジャックは思わず目を伏せずにはいられなかった。

「ジョーレスに? ヴァンデルヴェルドに?」と、メネストレルは、例の裏声で言った。「べつに、そのためにさらに演説しなければならないといったような材料は見つかるまいさ!」そして、ジャックががっかりしているようすを見ると、皮肉なちょうしをやめてつけ加えた。「もちろん、ジュネーヴに帰ってから、もっと細かく調べてみようとは思っているが。だが、一見したところ、何もないな。戦術上のいろいろな問題とか、兵員に関する数字とか……いまの場合、役に立つものは何ひとつない」

彼は、上着を着て、帽子を手にした。

「いっしょに行くかね？　歩きながらゆっくり話そう……なんていう暑さだ！　七月のブリュッセル、忘れようにも忘れられまい！……ところで、アルフレダはどこへ行ったのだろう？　迎えにくると言っていたが……さ、どうかおさきへ」

みちみち、彼はジャックに、パリでの滞在中のことをたずねた。だが、書類については何ひとことと口にしなかった。

彼は、いつにもまして足を引きずっていた。そして、とつぜん思いだしたように、ジャックにその言いわけをした。夏、とりわけしばらく疲れたあとでは、足の筋肉が、往々飛行機事故のあったすぐあとのように痛んでたまらないということだった。

「《傷痍軍人》といったところさ」と、彼はちらと笑って見せながら言った。「もう少しすると、大いにもてることだろう……」

民衆会館の入口のところで、ジャックが別れを告げようとしたとき、メネストレルはぐっとジャックの腕をつかんだ。

「ところで、いったいきみはどうしたんだ?」

「どうって?」

「変わったな。さ、なんと言っていいか……とても変わった」

メネストレルは、きつい、黒々とした、見とおすような眼差しで、じっとジャックを見すえていた。

ジェンニーの思い出が、ほんのしばらく、ジャックの目の前で揺れていた。ジャックは、はっと顔を赤らめた。言いわけをするのもいやだったし、嘘をつきたくもないと思った。ジャックは、なぞのような微笑をもらしながら、顔をそむけた。

「では、またあとで」と、パイロットはそれ以上追及しなかった。「会合のまえに、フレダと《獅子酒場》で晩飯を食うことになっている。ぼくのそばに席を取っておこう」

五十二

早くも八時から、シルク・ロワヤルでは、五千の座席がいっぱいになったばかりでなく、柱と柱とのあいだも立っているデモ隊員でいっぱいになっていた。そして、外では、シルクをとり巻いたせまい往来に、群集が押しあいへしあい群がっていて、熱心な闘士の数えたところでは、すでに五、六千人に達しているということだった。

ジャックと友人たちとは、やっとのことで、人をかきわけ、ホールの中へはいって行った。《代表》の連中は、インターナショナル本部総会の開かれている民衆会館に引きとめられていて、まだ来ていなかった。総会はだいぶ紛糾をきわめていて、だいぶおそくなるだろうといううわさだった。ケヤー・ハーディーとヴァイヤンとは、列席代表のすべてに、危険防止を目的とするゼネスト原則への参加と、各国において、おのおの属する党の名において、そうしたゼネスト準備のため、活発な活動をする正式申しあわせをさせようとして躍起になっていた。そうなれば、いざ戦争という場合、インターナショナルは、各国政府の戦争計画を妨害することができるだろう。ジョーレスは、この提案を力づよく支持していた。そして、朝からはげしい論争がつづけられていた。そこには、ふたつのテーゼ、いつもかわらぬふたつのテーゼの対立が見られていた。ある者は、なるほど攻撃的戦争の場合はストライキの原則も認めよう、だが守勢的戦争の場合には――ストライキによって麻痺状態におかれた国は、必然的に侵略者の蹂躙にまかされなければならないから――敵から攻撃された国は、武器をもってみずからを守る権利と同時に、その義務をも有することを認めよう、と言った。ドイツ代表の大部分、それにベルギー、フランス代表の多数はこの意見だった。そして問題は、侵略国家という、明確な、異論のないような定義をいかにして定めるかというにあった。ほかの連中は、歴史をたてにとって、そして、いっぽう最近のフランス、ドイツ、ないしロシアの新聞にあらわれた下心あっての反響から決然たる議論を引きだして、正当防衛による戦争などという神話を排撃していた。彼らは言っていた。《国民を戦争に引きずりこもうとする政府は、つねに必ず、敵から攻撃され、ないし攻撃されたように見せかける。そうした工作の裏をかこうと思ったら、戦争防止のためのストライキの原則を、あらかじめ発表しておくことが何よりたいせつなのだ。それによって、戦争危険にたいする回答は、自動的に発せられることになる。この原則は、今日ただいま、全会一致で、ぜったい遁辞をゆるさず、あらゆる国の社会主義指導者によって受け入れられなければならない。それによってこそ、この集団的抵抗——ただひとつの効果的な抵抗、労働の全面停止による抵抗——は、いざという場合、いたるところで、同時に、そして、いっせいに切って落とされることになるのだ》ところが、こうしたヨーロッパの近き運命が決せられるであろう論争の結果がはたしてどういうところに落ちついたであろうか、まだ誰も知ってはいなかった。

ジャックは、誰かにひじを押されたのを感じた。サフリヨだった。彼は、ジャックの姿を見つけて、人をかきわけて来たのだった。

「パラツォッロが、ムッソリーニから受けとったすばらしい手紙のことを耳に入れたいと思ってね」

そう言いながら、シャツと胸とのあいだにたいせつにしまってある何枚かのたたんだ紙をとり出した。

「すばらしいコピーを取っといたんだ……そして、リチャードレーが『ファナル』紙のため、すばらしい文章で翻訳した。こうなんだ……」

ざわめきがはげしいので、ジャックは、サフリヨの口のそばちかく耳を近づけなければならなかった。

「こうだ……まずこんなぐあいだ。《戦争によって、ブルジョワジーは、プロレタリアを次の悲痛な選択の前に立たせている。すなわち、反乱か、殺戮か。反乱は、たちまち流血によって迎えられる。殺戮は、義務、祖国の美名のかげにまもられる……》聞いているかい?……ベニト(ムッソリーニの名)は、さらにこうつづける。《国家間の戦争は、階級の協力によるもっとも血なまぐさい形式である。ブルジョワジーは、祖国の祭壇上にプロレタリアをささげ得たとき、はじめて会心の笑みをもらすのだ!》それからまた《インターナショナルは、将来おこるべきあらゆるできごとの避くべからざる帰結である……》そうだ」サフリヨは声をふるわせながら言った。「まさに図星だ! インターナショナル、それが目的だ! わかるだろう、インターナショナルは、すでに各国の民衆を救うべく、じゅうぶん強力なものになっている! わかるだろう、今夜のこの情景! プロレタリアの団結、これこそ世界平和にほかならないんだ!」

サフリヨは、ぐっと胸を張った。その目は爛々と輝いていた。まだ何か話しつづけていたが、高まってくるざわめきのために、言葉の意味は聞きとれなかった。

というのも、こうした息づまるような空気の中で、そこに群れていた群衆は、そろそろ退屈しかけていたからだった。その気をまぎらすため、ベルギーの闘士連は彼らの歌『プロレタリア団結せよ』をうたうことを思いついた。みんなは、すぐ声を合わせて歌いだした。最初のうちはためらっていたが、ひとつひとつの声は、隣の声をたよりにして、だんだん力づよいものになっていった。そして、それは声だけにはとどまらなかった。めいめいの心も固められていったのだった。歌は、それにひとつのきずなをつくり、響きわたる、具体的な、共存共助のあらわれになっていった。

待ちに待っていた代表者たちがついにシルクの奥に姿をあらわしたとき、全会衆は立ちあがり、割れるような喝采がひびきわたった。喜びをこめ、親しみをこめ、信頼をこめての喝采だった。そして、自然に、なんの命令もなしに、みんなの胸からわきおこったインターナショナルの歌は、喝采の声をつつんでひびきわたった。やがて、議長席についたヴァンデルヴェルドが合図をすると、歌声はのこり惜しそうにぴたりとやんだ。そして、次第次第に静粛が立ちもどるいっぽう、すべての人々の顔は、そこに並んだ指導者たちのほうへふり向けられた。党のいろいろな新聞のおかげで、彼らの顔はひろくみんなにわかっていた。人々は、たがいに指さしあって、それらの人々の名をささやきあっていた。一国として不参加の国はなかった。いまヨーロッパの生命が不安にさらされているこの時、全ヨーロッパの労働大衆は、この狭い壇上の代表者たちによって代表され、そしてそこには、おなじように執拗な、厳粛な希望をこめた、何万という眼差しが集中されていた。

こうした集団的な、伝播性をもった信頼感は、ヴァンデルヴェルドが、ドイツ代表の提議により、インターナショナル事務局が、八月二十三日ウィーンで召集することになっていたインターナショナル社会主義会議を八月九日パリで開くことに決定した旨を告げたとき、さらに高潮の度を加えた。ジョーレスとゲードは、フランス社会党の名において、その開催に関しての責任を引きうけた。そして、大衆の熱烈な支持に呼びかけて、《戦争とプロレタリア》という名で呼ばれるそのデモに、大々的な反響を引きおこさせようと提議した。

「いま、二大国がたがいにおどりかかろうとしているこの時にあたり」と、ヴァンデルヴェルドはさけんだ。「四百万以上の人々によって選ばれたその一国の組合および労働団体の代表者たちが、敵と呼ばれる国の領土へ出かけ、たがいに友情をあたため、諸国間の平和を確保する意思を声明するということ、それはけっしてただごとではないはずなのだ！」

ドイツ議会の社会党議員ハーゼが、拍手に迎えられて立ちあがった。そのさっそうたる演説は、社会民主党の協力の真剣さについて、なんの疑念をもゆるさないものだった。

「オーストリアの最後通牒は、真に一個の挑戦なのだ……オーストリアは戦争がしたかったのだ……オーストリアは、どうやらドイツの支持を期待しているらしい……だが、ドイツ社会主義は、プロレタリアが秘密条約によってしばられることを承知できない……ドイツのプロレタリアは宣言する、ドイツは、たとい、ロシアが紛争に介入したにせよ、断じて介入すべきでない！」

喝采の声が、ひとつひとつの言葉を中断した。みんなは、こうした宣言の明確さに、ほっとさせられていたのだ。

「われらの敵よ、注意せよ！」と、彼は演説を終わるにあたって絶叫した。「はげしい貧苦と圧迫に疲れた民衆は、ついに目をさまし、社会主義社会を建設するため団結することがあり得るのだ！」

イタリア代表のモルガリ、イギリス代表のケヤー・ハーディー、ロシア代表のルバノウィッチが次次に発言した。いまやヨーロッパのプロレタリアは、おのおのの政府の危険な帝国主義を打ちひしぐため、平和を確保するに必要な互譲を要求するため、声を一にしていたのだった。

ジョーレスの番がきて、彼が語ろうと前へ進みでたとき、さらにはげしい喝采がわきおこった。ジョーレスの態度は、いつもにくらべてさらに重々しかった。彼は、きょう一日で疲れきっていた。彼は、首を肩のあいだに埋めていた。はえぎわの低いひたいの上には、汗でべっとりくっついた髪の毛が乱れていた。階段をゆっくりあがり、からだをまるめ、両足の上に直立して、身動きもせず会衆に対した彼は、まるで、背をまるめ、身をかため、足をじっくり地におろし、なだれかかってこようとしている危機をわが身ひとつでせきとめようとしている、ずんぐりした巨人のすがたを思わせた。

彼はさけんだ。

「諸君!」

その声は、いつも彼が壇上に立つときにくり返されるいかにもふしぎな現象だが、一瞬にして、この何千という人々の歓呼の声をおさえてしまった。おごそかな静けさがあたりを領した、それは、あらしのまえの森の静けさをそのままだった。

彼は、ちょっと考えをまとめようとしているらしかった。そして、こぶしを握りしめ、急に短い両腕を胸の上に持っていった。《まるで説教するあざらしだな》と、パタースンが無作法な評言を加えた。)演説は最初のうち、いそがず、おだやかに、これと取り立てて力のはいったようすもなしにはじめられた。だがその最初の一声から、まるで揺れている銅鑼(どら)のように鳴りわたる彼の声は、たちまち空間にみなぎり、たちまちホールは、鐘楼とでもいったように鳴りわたった。

ジャックは、身をのめらせ、こぶしの上にあごをささえ、目を、あお向けかげんにしているジョーレスの顔――それはいつも、あらぬほう、はるかかなたの世界をながめてでもいるようだった――の上にじっとそそぎながら、一言半句も聞きもらさずにいた。

ジョーレスは、何ひとつ目新しいことを口にしなかった。彼は改めて、征服政策、威圧政策の危険について、外交の無力について、盲目的愛国主義者の気違いざたについて、なんら得るところのない戦争の惨禍について語った。言わんとするところはかんたんだった。語彙もかなり限られていた。そのねらいも、多くの場合、きわめてありふれた扇動の範囲を出ていなかった。それでいながら、そうした大まかな平凡な言葉は、今夜ジャックもそのひとりである大衆の中に、きわめて強い電流を通じ、大衆は、語り手の命ずるままに身をふるわせ、あるいは同胞愛に、あるいは怒りに、あるいは憎悪に、あるいは希望にわきたちながら、まるで風に鳴る竪琴のようにふるえたのだった。ジョーレスの、人を魅せずにはいないこの力、それははたしてどこから出てくるものだろう？ 緊張した幾千という顔の上に、大きな渦をなしてふくれあがり、ゆれている、彼の執拗な声からか？ 人間にたいする、きわめてはっきりした愛情からか？ その信念からか？ あるいはその内在的なリリスムによるのだろうか！ 言葉づかいのかけひきとはっきりした行動意識、歴史家としての明察と詩人としての空想、秩序へのあこがれと革命的意思、それらすべてが奇跡的な調和をみせている彼の交響楽的精神からか？ とりわけ今夜、民衆のひとりひとりの骨髄にまでしみわたった厳とした確信こそは、まさにそうした言葉から、そうした声から、そうした不動の態度から生みだされたものにほかならなかった。それこそは、つい目の前にせまっている勝利への確信、民衆の拒絶が各国政府をして逡巡させ、憎むべき戦争の力が、ついに平和の力を打ちまかすことができないであろうという確信だった。
緊張し、感激し、神聖な興奮に身をひきつらせながら彼が一場の悲壮な雄弁をおわって壇をはなれたとき、ホール全体は立ちあがり、破(わ)れよとばかりの喝采を送った。拍手と足を踏み鳴らす音とは耳を聾(ろう)するばかり、しばらくのあいだ、ホールの壁から壁へと、まるで山峡で聞く雷鳴のようにとどろきわたった。差しあげられた腕という腕が、狂おしく、帽子や、ハンケチや、新聞や、つえを打ち振っていた。まるで麦畑をゆする一陣のあらしというようだった。こうした興奮の一瞬、もしジョーレスにして、ただひとつのさけびを発し、ただひとつの合図さえしたら、激し立った大衆は、彼のあとから首を伏せ、いかなるバスティーユ（フランス革命の口火をなしたパリ市民のバスティーユ監獄襲撃）へ向かってでも突進して行きそうだった。
いつのまにか、そうしたざわめきにはととのいが見られ、そこにリズムが生まれた。しめあげられていた万力から解放されたとでもいったように、興奮しきった胸という胸が、ふたたび音楽へ、歌へと向かった。

呪われしもの、いざや立て！……

そして、外では、中にはいることができず、しかも警察隊が陣を張っていたにもかかわらず、付近の町という町を埋めつくしていた何千というデモ隊員が、いっせいに『インターナショナル』のくり返しの文句のところを歌いはじめた。

呪われしもの、いざや立て！……
……………………いざや奮起の時きたる！

五十三

ホールからは、それとめだたずに人がだんだん出て行っていた。ジャックは、人に押しあげられ、あちらこちらへと押されながら、難船した男とでもいったように自分にしがみついているヴァンネードをいっしょうけんめいかばってやっていた。そして、彼はいっぽう数メートルはなれたところに一団をなしているメネストレル、ミトエルク、リチャードレー、サフリヨ、ゼラウスキー、パタースン、アルフレダたちを見失わないようにしていた。だが、どうしたらその一団のところまで行けるだろうか？　彼は、ヴァンネードを先へ押しやりながら、連中のほうへちょっとでも近づけそうな人々の動きを利用して、次第次第に、連中との間隔をせばめていった。そして、はじめて抵抗をやめ、ほかの連中といっしょに出口のほうへ人波に押されていった。

あるときは楽隊のように鳴りわたり、あるときは鼻歌のように流れるインターナショナルの歌声の中には、鋭いさけび声がまじっていた。「戦争反対！」「社会主義万歳！」「平和万歳！」「こっちへ来るんだ。迷子になるぞ」と、メネストレルが言った。

だが、アルフレダの耳にははいらなかった。パタースンの腕にすがりついていた彼女は、前のほうで何がおこっているかをしきりに見たがっていたのだった。

「待ちたまえ」と、つぶやくようにパタースンが言った。

彼は、両手をしっかり組みあわせた。そして、腰をかがめると、それをアルフレダの前にあぶみがわりに差し出してやった。彼女は、その上にうまく足をのせた。

「そうれ！」

パタースンは、ぐっと腰に力を入れて立ちあがった。そして、人々の頭を越して持ちあげてやった。

彼女は笑いつづけていた。そして、からだの平均を保つため、からだをパタースンの上体にぴったりくっつけていた。大きく見ひらいた人形のような目は、この晩、荒々しい火のように燃えていた。

「何も見えないわ」と彼女は、酔いしれたような甘え声で言った。「何ひとつ……見えるのは旗ばっかり！」

彼女は、なかなかおりようとしなかった。パタースンは、女のスカートに目をふさがれて、よろめきながら歩きつづけていた。

どうしてとも知らないまに、みんなは外へ出ていた。

町へ出ると、ホールのなか以上の人ごみだった。そして、騒ぎもはげしく、それがひっきりなしにつづいているので、ほとんど何を言っているのか聞こえなかった。しばらく足ぶみをしていたあとで、人波は、どちらかへ向かうことにきめたらしく動きはじめた。そして幾重にも張られた警官隊の列をその下に沈め去り、通りすがりに人道に集まったやじ馬たちをものみこんで、ゆっくりやみの中へ向かって流れはじめた。

「どこへつれて行かれるのかな？」とジャックがたずねた。

「Zusammen marschieren, Camm'rad!……(ドイツ語。《同志みんないっしょに行進するんだ》)」と、ミトエルクがさけんだ。そのぶよぶよした顔は、赤く、ふくれあがっていて、まるで熱湯の中から出てきたばかりというようだった。

「各省へデモに行くんだろう」と、リチャードドレーが説明した。

「Keinen Krieg! Friede! Friede!(《戦争反対！　平和だ！　平和だ！》)」と、ミトエルクがほえていた。

そして、ゼラウスキーは、咽喉(のど)にかかった声で、ちょうしをつけながらさけんでいた。

「Daloï Vaïnou! Mir! Mir!(ロシア語。《戦争反対！　平和だ！　平和だ！》)」

「フレダはどこへ行ったのかな？」と、メネストレルがつぶやくように言った。

ジャックは、アルフレダを見つけようとしてふり向いた。うしろには、リチャードドレーが歩いていた。頭を高くかかげ、例の永遠の微笑、あまりに大っぴらな微笑を唇に浮かべながら。そのあとからは、ヴァンネードが、ミトエルクとゼラウスキーにはさまって歩いていた。ヴァンネードは、両ひじなかったし、歌もうたっていなかった。そして、目をなかば閉じた白々とした顔を、悲痛な、そしてわれをわすれたような表情で空のほうへ向けていた。そのうしろには、アルフレダとパタースンがついていっていた。ジャックには、ふたりの顔だけしか見えなかった。だが、ふたりはたがいにぐっと身をよせあい、まるでからだとからだをからみあわせてでもいるようだった。

「どこへ行ったのかな？」と、パイロットが、心配そうな声でくり返した。まるで、犬にはなれた盲人とでもいうようだった。

暗く、ふかい、むしむしする夏の晩だった。いたるところのショーウィンドには火が消されていた。その多くは灯火に照らされたいたるところの窓々からは、人々の黒い影がのり出していた。大通りの辻のところには、電車が、数珠つなぎになって灯火を消し、がらんとして、レールの上に並んでいた。徒歩の人たちの群れは町々にあふれ、動いている人波を絶えずふとらせていっていた。デモ隊員の大部分は、ブリュッセルとその郊外の労働者たちだった。そして、いたるところから、アントワープから、ガンから、リエージュから、ナミュールから、あらゆる鉱区の中心地から、たくさんな闘士たちがやって来て、ブリュッセルの、また外国からの代表たちと合流していた。この晩、ブリュッセルは、まるでヨーロッパの平和の首都になったとでもいうようだった。

《これでよし》と、ジャックは思った。《これで平和は救われたんだ！　世界のいかなる力をもってしても、このしがらみをくつがえすことはできないだろう！　この大衆がひとたび立ちあがれば、ぜ

った い戦争はできっこないんだ！》

警官隊は、手のくだしようもなく、王宮、公園、それに各省を、四重に張った列で護っているにすぎなかった。その前を、デモの先頭は、立ちどまることなく行進をつづけて、プラス・ロワヤルに達し、町の中心のほうへおりて行った。その道みち、ものものしく静まり返っている各省の前で、何千という人々の口はいちように《社会主義万歳！》《戦争撃滅！》をさけびつづけていた。

先頭には、真剣なようすの隊列が、おのおのの旗をかこんで昂然と行進をつづけていた。そのほかのものは、雑然と、滝のような、ざわついたお祭りさわぎの隊をなして、そのあとにつづいていた。女たちは男の腕にすがり、子供たちは、父親の腕で差しあげられながら、びっくりしたような目をあけていた。みんながみんな、大きなプロレタリアの力の一部の代表といったような意識を持っていた。顔を緊張させ、眼差しをきっと見すえて、彼らはたがいにほとんど言葉もかわさず進んで行っていた。そして、立ちどまったときも、みんなちょうしに合わせて歩調を取りつづけていた。電灯の光のかげには、むき出しになったひたいが光っていた。信頼にあふれ、おなじ意思によって固められたすべての人々の顔のうえには、まさに今夜、各国政府にたいして凱歌があげられたとでもいったような確信が読まれていた。そして、なだれるような人波の上には、たえず、声をかぎりにどなられている『インターナショナル』が、まるですべての人々の心臓の鼓動とでもいったように、力づよくきざんだその歌声をひろげていた。

ジャックは、メネストレルが、幾たびか、何か話したいことがあるように、自分のほうへ近づきたがっているらしく思った。だが、そのたびごとに、彼は人々に押しかえされ、あるいは急に高まる歌声にさまたげられていた。

「まさに大衆行動ですね！」と、ジャックはメネストレルのほうへ向かってさけんだ。ジャックはちょっと相手の思惑を気にして、つとめて微笑してみせようとした。だが、彼の目は、すべての人々の目に輝いているのとおなじような、狂おしい喜びで燃えていた。

パイロットは、なんとも答えなかった。ひとみの色は冷たく、唇には、苦しそうなしわがきざまれていた。ジャックには、それがなんのためであるかわからなかった。

ふたりの前のところで、ざっと、波立ちがおこったと思うと、デモが急にぐらりと揺れた。先頭が、何か障害に打ちあたったものらしかった。さわぎの原因をたしかめようとジャックがつまさき立ったとき、彼の耳にはパイロットの声がきこえた。きわめて早口に言われた数語、しかもそれは、いつものたまらない裏声だった。

「今夜、フレダはどうやら……」

言葉の残りは、なかばざわめきの中にのまれて聞きとれなかった。ジャックは、はっとした気持ちでふり向いた。それは「……ホテルに帰ってこないらしい」と、言おうとしたものらしく聞きとれた。

ふたりの目と目が行きあった。パイロットの顔は陰になっていた。そのねこの目のような無表情な黒いひとみが、動物的な燐光を放って燃えていた。

ちょうどそのとき、大きな揺れがつたわってきて、ふたりはそれに押しあげられてしまった。

それは、ブールヴァール・デュ・ミディの辻のところで、とつぜん一本の旗を取りかこんで集まった国家主義者たちの小さな一団が、大胆にもデモのゆくてをさえぎろうとしたからだった。ちょっとした小ぜりあい、それはデモ隊員たちの行動をさまたげるまでにはいたらなかった。だが、そのため行進がとまり、押し返されることになったため、ジャックは、メネストレルや仲間の者たちと完全に離ればなれになってしまった。

右のほうへ押されたジャックは、家並みに押しつけられていた。いっぽう、道の中央には、後方から押されるままに、強い流れができていて、メネストレルたちは、前へ前へと押し流されていた。と、とつぜん、ジャックには、自分のくぎづけされていたところから数メートルはなれたところに、パタースンの顔が目にはいった。あいかわらずアルフレダといっしょだった。ふたりは、ジャックに気がつかずに通りすぎて行った。だがジャックには、はっきりふたりを見るだけのひまがあった。ふたりは、もはやいつものとおりのふたりのようではなかった。……光の明暗が、骨ばった顔の形をはっきり浮かばせ、パタースンの顔は奇怪なかたちで刻み出されていた。たいていいつも敏捷な、そして笑いを含んだその目の中には、じっと動かぬ、おそろしい、気ちがいじみた輝きが見られていた。アルフレダの顔も、それに劣らぬ変化を見せていた。はげしい、思いつめたような、悪びれぬ淫蕩さを見せた表情が、その顔だちをゆがめると同時に卑しいものに変えていた。それはまるで売春婦の顔、酒に酔いしれた売春婦の顔とでもいうようだった。女は、パタースンの肩にこめかみのあたりを押しあてていた。彼女は、口をあけていた。そしてしゃがれた、せきこんだ声でインターナショナルを歌っていた。それはまるで、自分自身の勝利、自分自身の解放、本能の勝利をたたえてでもいるようだった……ジャックは、メネストレルの言った言葉を、思いだした。《どうやら今夜、フレダは帰ってこないらしいな……》

ジャックははっとした。そして自分でも何を言おうとしたのかわからず、ふたりに追いつくため、群集の中へはいって行こうとした。彼は「パタースン！」と、さけんだ。だが、まわりからの人波に押され、身動きさえもできなかった。彼は、なおしばらくのあいだふたりのあとを見送っていた。そして、ふたりの姿がまったく目の前から消えてしまうと、されるがままに身をまかせて、波のままに前のほうへ押されて行った。

いま、ひとりぼっちになった彼は、集団的感染とでもいったようなふしぎな現象にとらわれていた。彼には、時間と空間との、あらゆる観念が失われていた。個人的意識も消えてしまっていた。まるで、はっきりしない、昏睡したような、本来の世界に立ちかえっていくとでもいったような気持ちだった。こうして、動いてやまぬ同志的集団のなかに沈んでしまい、溶けこんでしまったジャックには、自分というものを捨ててしまいでもしたような感じだった。心の底には、表面までわきあがってこない熱い泉とでもいったように、自分がひとつの全一体——数であり、真であり、力である全一体——の一部をなしているといった意識があった。だが、彼自身、そんなことなど考えてさえもいなかった。そして、何も考えずに、まるで眠りのように休ませてくれる軽い陶酔に身をまかせながら、歩きつづけていたのだった。

こうした楽しい状態は、一時間、おそらくはそれ以上つづいた。彼は、人道のはしに足をぶっつけて、そうした呪縛からわれにかえった。彼はとつぜん、自分の疲れているのに気がついた。デモは暗い建物のあいだにはさまれながら、ゆるやかな、冷厳な流れで進んでいた。うしろのほうでは、歌声もほとんどやんでいた。おりおり、息づまった胸を解き放つとでもいったように《平和万歳！》《インターナショナル万歳！》の荒々しいさけびが立てられていた。そして、そのさけびは、ちょうど暁の鶏鳴といったように、あちらこちらにおなじようなさけびを呼びさました。そして、ふたたび元の静けさにかえっていった。それからは、また長いあいだ、深々としたあえぎと、羊群のような足音だけがつづいた。

ジャックは、道ばたへ寄り、建物のほうへ近づくようにしていた。そして、戸をおろした店々にそってからだを運ばれながら、逃げだす機会をねらっていた。と、狭いひとつの町が見えた。それは、見物に集まった町の人たちでぎっしりつまっている通りだった。ジャックは、うまくその中へ身をすべらせ、壁に切りこまれた泉のそば、いいぐあいにあたりに人のいないところまで行くことができた。水は、なつかしいひびきを立てながら、ひんやりと、澄みわたって流れていた。彼は水を飲み、ひたいをうるおし、手をうるおしながら、長いこと息を入れた。頭上には、夏の夜空がきらめいていた。彼は、おとといのパリでの騒ぎ、きのうのベルリンでの騒ぎのことを思いだした。ヨーロッパの都会という都会では、民衆が、いずれ劣らぬはげしさで、無益な犠牲に反対して立ちあがっている。いたるところで、ウィーンではリングシュトラーセで、ロンドンではトラファルガー・スクェアで、ペテルスブルグでは、コザック騎兵が剣をひらめかしてデモ隊員たちに切りこんでいくネウスキー広場で、いたるところでおなじさけび、Friede! Peace! Mir!（独、英、露語で《平和！》）が高くさけばれている。国境を立ち越えて、労働者という労働者の手が、同胞愛につながるおなじひとつの理想へ向かって差しのべられている。そして、全ヨーロッパから、おなじさけびがわきあがっている。将来について、もはやなんの疑いがあり得よう。あすこそは、全人類が、その苦悩から解き放たれ、自分自身のよりよき運命をつくるため、あらためて立ちはたらくことができるのだ……

将来！……ジェンニー……

ジェンニーの姿が、とつぜん彼の心をつかんだ。それは、あらゆるものを踏みにじり、今夜の激しい興奮をも押しやって、それにかわるに、なつかしい、なごやかな、なんともたまらない思いをもってしたのだった。ジャックは、立ちあがって、また夜のなかを歩きはじめた。

眠り……いま、彼の望んでいるものはそれ以外に何もなかった。どこでもいい、行きあたりばったりのどこかベンチでも……彼は、このあたり、見おぼえのない町の中に、行く手をもとめた。と、とつぜん、人けのないひとつの広場に出た。そして、きょうの午後、パタースン、アルフレダのふたりとそこを通ったことを思いだした。もうひと息……パタースンの部屋のあるホテルまで、たいして遠くはないはずだ……

案にたがわず、ホテルはわけなく見つかった。ジャックは靴をぬぎ、上着をぬぎ、カラーをはずすままもどかしく、半分着物をきたなりでベッドの上に身を横たえた。

五十四

目をさましたとき、部屋はあかあかとした光に照らされていた。ジャックは、しばらくしてやっと現実の気持ちをとりもどした。部屋の奥には、ひざまずいている男の背中が目にはいった。パタースンだった……せかせかと、ゆかの上にひらいたスーツケースの中に衣類をたたみこんでいるところだった。もう出かけるのかしら？　いったい何時になるんだろう？

「パタースンか？」

相手は、それには返事もせず、スーツケースのふたをしめ、それを戸口のところにおくと、ベッドのほうへ歩みよって来た。青ざめた顔、そして、とげとげしい目つき。

「つれて行くことにしたんだ！」と、パタースンは吐き出すように言った。

声には、威嚇するようなひびきが聞きとれた。

ジャックは、疲れたはれぼったい目をあけながら、あっけにとられたように相手の顔を見まもった。

「Hush！（英語。《しいっ！》）何も言うな！」ジャックのほうでは、唇さえも動かないのに、パタースンがどもるように言った。「承知のうえなんだ！……こうなってしまった！　いまさらどうともできないんだ！」

ジャックは、とつぜんすべてを了解した。そして、悪夢を見ているところを起こされた子供とでもいった表情で、じっとパタースンの顔をみつめた。

「あれは、下のタクシーの中にいる。すっかり決心している。そして、このおれも。あれは、彼に何も言わなかった。あれは、彼はきのどくだといっている。何も言いたくないといっている。自分の持ち物を取りに行こうとさえしなかった。おれたちは出かける。あれは、二度と彼に会わないだろう。オスタンド行きの、すぐ出る汽車に飛び乗るんだ。あしたの晩はロンドンだ……すべてはこうしてご破算になった。いまさらどうにもならないんだ！」

ジャックは、ベッドに身を起こしていた。彼は、ベッドのまくらもとの木に頭をのせて、ひと言も言わなかった。そして《殺人犯の顔だな》と心に思った。

「おれは、何カ月もまえから考えていた」と、パタースンは、じっと電灯の下に身を動かさずに言葉をつづけた。

「だが、おれには切りだす勇気がなかった……それが今夜、おれにはわかった。彼女もおれとおなじように……かわいいやつさ。きみには、彼女と彼との生活がどんなものかがわかっていない……人間以下だ……まったく無だ！……なるほど、りっぱな使命とやらを持ってはいる！　それを彼女も知らされた。彼女はすべてを受け入れた……彼女は、それができることとばかり思っていた。そういう彼女には、何もわかっていなかったんだ……ところが、おれを好きになってから、そうだ、自分を犠牲にする気持ちになれなくなってきた……彼女のことをとがめてくれるな！」パタースンはとつぜん、あっけにとられているジャックの顔に、何かきびしい批判でも読みとったかのようにくり返した。
「きみには、彼がどういう人間だかわかっていない！　なんでもやってのけられる人間なんだ！　何ひとつ信じない、何ひとつ——自分自身をさえ信じられないといった絶望感から。そうだ、彼自身無なんだから」

ジャックは、ベッドの上に両腕を差しのべ、いささかあお向きかげんになりながら、光をまぶしく目に受けて、身動きひとつしなかった。窓は開かれていた。耳もとには、彼がはらいのけようとしないため、蚊がうなっていた。彼は、まるで多量に出血した男とでもいったように、吐きけをもよおすような虚脱状態を感じていた。

「人間誰しも生きる権利を持っている」と、あらあらしい声でパタースンが言った。「きみは、ほかの誰かに、ひとりの男を救（たす）けるため、水に飛びこめと言うのはよろしい。だが、自分がおぼれてまで、その男の顔を、水面にじっといつまでもささえていてやれとは言うことができない！……彼女は、生きたいと思っている。そこへ、このおれがあらわれた。そして、彼女をつれていくんだ！　Hush！……」

「おれは、なにもきみたちをとがめようとは思ってはいない」ジャックは、首を動かさずにつぶやいた。「だが、おれは彼のことを思っているんだ……」

「You don't know him! He is capable of anything!…… That man is a monster…… a perfect monster!（《きみはあいつを知ってないんだ！……どんなことでもやってのけるやつだ！……あいつは怪物だ！　完全な怪物だ》）」

「パタースン、彼は死ぬかもしれないぞ」

パタースンは、かすかに唇をひらいた。そして、青ざめたその顔は、さも一撃を受けたといったように引きつれた。ジャックには、その顔が、とつぜん何かしら醜悪なものに見えてきて、それを見ているに忍びなかった。《殺人犯》と、彼はふたたび考えた。そして、その顔からちょっと目をそむけて低い声で言葉をつづけた。

「おれは党のことを考えてるんだ。党には指導者が必要なんだ。この際とりわけ……パタースン、それは裏切りだ。二重の裏切りだ。あらゆる面にわたっての裏切りだ」

パタースンは、すでに戸口のところまですさっていた。はすかいにかぶった鳥打帽子、青白い顔、追いつめられたような目、口にうかべた作り笑い、それがとつぜん、彼を無頼漢といったように思わせた。パタースンは、急に身をかがめたと思うと、スーツケースを手にした。それは、殺人犯というよりは、むしろ強盗とでもいうようだった。

「Good night!」と、パタースンは言った。そして、目を伏せたまま、それをあげようともせず、逃げるように出て行った。

ドアがとざされるやいなや、ジャックの胸には、こらえられないほどのはげしさでジェンニーのことが思いだされた。なぜまたジェンニーのことを?……しんとした往来に、自動車の動きはじめる音が聞こえた。長いこと、頭をベッドのまくらもとの木にあずけながら、目をじっとドアのほうへそそいで、ジャックは身動きもしなかった。彼の目には、パタースンの美しい顔だち、さわやかな眼差し、ブロンドの青年らしい微笑と同時に、お払い箱になった召使い、現場を取りおさえられた盗人といったような浮かない顔、ふてくされた、それでいて恥ずかしそうな顔が思い浮かんだ……情欲によってみにくくゆがめられた顔。地下鉄の通路でジェンニーを追っていったときの自分も、おそらくはおなじような顔をしていたにちがいない……そして、あの日、自分もまた卑劣な行ない、裏切り行為をやってのけかねなかったのではないだろうか？

そのまま眠りつくことのできなかったジャックは、六時半というのにメネストレルのところへ駆けつけた。

下宿の中では、まだすべてのものが眠っていた。ひとり、年をとった女が玄関のタイルを洗っていた。ジャックは一瞬ためらった。このまま帰ろうか、それともあがって行くことにしようか？　八時の汽車に乗るのだったら、このうえ、訪問をのばすというわけにもいかなかった。そして、ゆうべのできごとがあった以上、メネストレルに会わずにブリュッセルを去る気になれなかった。

彼はまずパイロットの部屋のドアをたたいた。なんの答えもない。部屋がちがっていたのかしら？　そんなはずはない。きのう来たのはたしかにここだ。十九号室だ。メネストレルは、ひと晩待ちぼうけを食ったあとで、寝てしまってでもいるのだろうか？……も一度たたいてみようとしたとき、ジャックは、ドアのところに、素足でいそいで歩みよってくる足音と、錠に手の触れる音を耳にした。とっぴょうしもないおそろしい考えが、ふっと彼の心をかすめた。彼は、本能的にドアのハンドルをつかむと、それをまわした。ドアがあいた。そして、まさに鍵を掛けようとしていたメネストレルと向かいあった。

ふたりは、たがいにまじまじと顔を見かわした。氷のようなパイロットの顔には、およそなぞのような表情が浮かんでいた。おそらくは、しまったとでもいった表情……一瞬、ためらっているようなようすだった。客を押しもどし、ドアをしめようとしてでもいたのだろうか？　ジャックは、そうだったのではないかと気をまわした。そして、自分をしてドアのハンドルをまわさせたのとおなじ直観の命ずるままに、肩でひと押ししてドアをしめ、部屋の中へ歩み入った。

最初の一瞥で、部屋のようすがすっかり変わり、それがこれまでよりひろくなっているようなのに気がついた。テーブルや椅子は壁のほうへ押しやられ、部屋の中央、衣装箪笥の鏡のまえは、がらんとひろくなっていた。ベッドは、乱れたままになっていた。だが、その上には、夜具が掛けられていた。部屋は、何か目的があってといったように、すっかり整頓されているらしかった。そう言えばメネストレル自身さえも。彼は青みがかったパジャマを身につけていた。それには、アイロンのあとがまだはっきり見えていた。外套掛けには、着物一枚かかっていなかった。洗面台には、化粧道具も見当たらなかった。何から何まで、出発するために、窓の前にあるふたつのトランクの中にしまわれたとでもいうようだった。それにしても、まさかパジャマ姿のまま、それに素足のままで出かけるわけにはいかないだろうに？……

ジャックは、その目をメネストレルのうえへもどした。メネストレルは、おなじところにじっとしていた。そして、ジャックのほうをみつめていた。彼は、身動きもせずに立っていたが、その立っている足がしっかりしていないといったようすだった。それはまるで、手術のあとの昏睡からさめかけている患者、ないし、冥界からよびもどされた亡者とでもいうようだった。

「何をしようとしておいでてでした?」と、ジャックは、口ごもりながらたずねた。

「ぼくかい?」と、メネストレルが答えた。そして、われにもあらず目を伏せた。彼は、よろめきながら壁ぎわまですさっていった。そして、相手の言葉がよくわからなかったといったようにつぶやいた。

「ぼくが、何をしようとしていたかって?……」

それから、テーブルのそばに腰をおろすと、そっと両手でひたいをかかえた。

テーブルの上も、ふしぎなほど整頓されていた。そこには、封をした二通の手紙が、裏返しにして並べられていた。そして、きちんとたたんだ一枚の新聞紙の上には、万年筆、紙入れ、時計、鍵たば、ベルギー貨など、身のまわりの品々が並べられていた。

ジャックは、しばらくはあっけにとられたかたちで、身動きひとつできなかった。やがて、彼はメネストレルのそばへ歩みよった。相手は、たちまちきっと顔をあげて、

「しーっ……」と、言った。

メネストレルは、苦しそうに立ちあがった。そして、びっこを引きひき幾足か歩いて、ジャックのそばへよってきた。そして、まえとはすっかりちがったちょうしで、さらにくり返してこう言った。

「何をしようとしていたかって？……うん着物を着ようとしていたのさ……そして、いっしょに出かけようと思ってね。きみといっしょに出かけようと思ってね、きみといっしょに！」

彼はジャックのほうを見ずに、トランクのひとつをあけて着物を取りだすと、それをベッドの上にひろげ、新聞包みの中からはほこりだらけな靴を出した。そして、自分のほかに誰もいないかのように着物を身につけた。したくができた彼は、テーブルの前へ歩いて行った。そして、椅子にかけたまま黙りつづけているジャックのことなぞかえりみもしないで、二通の手紙をとりあげ、それを細かく破りすて、暖炉のところへ行ってほうりこんだ。

そのとき、じっと彼から目を放さずにいたジャックは、暖炉の中が、つい近ごろ紙を燃した灰でいっぱいになっているのに気がついた。《そんなに書類をたくさん持っていたのだろうか？》と、ジャックは考えた。と、たちまち《シュトルバッハ文書？》という考えがひらめいた。彼は、あいているトランクのほうへあわただしげな一瞥を投げた。そこには、たいしたものははいっていなかった。そして、文書らしい包みも見当たらなかった。《もうひとつのほうのトランクに入れたのだろう》ジャックは、ふと胸をかすめたばかげた疑いを持ちたくないと思って、そう考えた。

メネストレルは、テーブルのそばへもどってきた。彼は、金、紙入れ、鍵たばをとりあげて、それらをすべて順序ただしくポケットにおさめた。

そうしたうえで、彼ははじめて、ジャックのいるのを思いだしたようだった。ジャックのほうをじっと見ると、彼のほうへ歩みよった。

「よく来てくれた……え？　来てくれてたしかによかった……」

その顔はおだやかだった。そして、そこには奇怪な微笑が浮かんでいた。

「そうだ、愚にもつかないことばかりだ……望んでみてもはじまらないことばかり。心配してもはじまらないことばかり……何から何まで空の空だ……」

彼は、思いがけない身ぶりで、ジャックのほうへ両手を同時に差しだした。そして、ジャックが、感動をこめてそれを握ると、あいかわらず微笑しつづけながら、

「So nimm denn meine Hünde, und führe mich……（ドイツ語。《さ、手を取ってつれてってもらおう》）」と、つぶやくように言った。そして、ジャックから身をはなすと「さあ！」と、つけ加えた。

彼は、トランクのところへ歩みよって、そのひとつを手にした。ジャックもすぐに身をかがめて、ほかのひとつを取ろうとした。

「いや、それはぼくのじゃない……それはおいてゆく」

そして、その曇った眼差しの中を、血の出るような悲しみ、いとしさの微笑のかげがきらりとかすめた。

《文書は焼いてしまったんだな》と、ジャックは、あっけにとられながら思った。だが、何ひとつたずねる気にはなれなかった。

ふたりはいっしょに部屋を出た。メネストレルは、いつもよりもいささか足をひきずっていた。下におりた彼は事務所の前を通りながら、中にはいろうとはしなかった。ジャックは思った。《勘

定まですましているんだな！》

「ジュネーヴ行きの急行、と……七時五十分」玄関の壁に貼られた列車時刻表を見ながらメネストレルがつぶやいた。「で、きみは？　八時のパリ行きに乗る？　ぼくを汽車に乗せてくれるだけの時間はあるな……ほうらこうして万事かたづいていくんだ……」

五十五

ジャックがベルギーからの列車をおりたとき、パリは、ついいましがた、さっと短い燃えるような夕立に洗われたばかりで、真昼の太陽は、さらにいちだんと焼けつくような光でかがやいていた。形勢は暗澹として、好ましくない前兆が山のようにかさなりあっていた。旅のあいだ、耳にしたものは、すべて危険をはらんだ徴候だけだった。列車は、はちきれるほどの旅客を乗せていた。国境地方の連中のあいだには、大きな興奮が見られていた。休暇をとって帰郷していた北部地方の兵士や将校にたいしては、原隊に帰るようにと電報で通達されていた。ジャックは、おなじ列車でブリュッセルを発ったフランスの社会主義者たちと離れて、北部地方の連中ではちきれそうな車室に乗りこんでいた。それらの連中は、見も知らぬ同士で話しあい、新聞を交換しあい、情報を取りかわしあっていた。みんなは、不安そうに、事件についていろいろ語りあっていた。不安といっても、そこには驚きの気持ち、こわいもの見たさの気持ち、さらにはとてもそんなことは信じられないといったような気持ちが、恐怖の気持ち以上にはたらいているらしかった。あきらかに大部分の人たちは、すでに戦争がおこりそうだという考えになれはじめていた。それらの人々が、フランス政府が万一の場合にそなえての警戒的な処置について語っているところには、何かしら真相を伝えるものがあった。すでにいたるところで、鉄道、橋梁、水路橋、戦時工場などが、軍隊の監視下におかれているということだった。現役兵の一隊は、コルベイユの電力水車工場を占領していた。そこの社長は『アクシヨン・フランセーズ』紙によって、ドイツ軍の予備将校であるといってたたかれていた男だった。パリでは、送水場、食料貯蔵庫などが軍隊の監視下におかれていた。胸に略綬をつけたひとりの紳士が、技師らしい正確さで、エッフェル塔に無電装置をほどこすため、すでにいろいろな工事が大いそぎでなされていることを説明していた。自動車製造業をやっているというひとりのパリ人は、たまたま競技のために集められていた数百台の自動車が、徴発とはいかないまでも、追ってさたのあるまでといって、そのまま留めおかれているだろうとなげいていた。

ジャックは、サン・カンタン駅で手に入れることのできた『ユマニテ』紙で、政府が、きのう二十八日水曜日、C・G・Tによってヴァグラム会館で催されることになっていた集会を、どたん場になって禁止したということを教えられ、かつはおどろき、かつは憤慨した。その集会には、パリと、パリ周辺地区のすべての労働団体が、大衆デモのために集まることになっていた。禁止命令にもかかわずデルヌ町へやって来たデモ隊員は、乱暴な警官隊の突撃によって蹴散らされたということだった。騒擾は、夜になってもしばらくつづいていた。そして、闘士たちの隊列は、もう少しのところでエリゼー宮(大統領官邸)まで押しかけるところだった。それは、こうした国家主義的権力の行使が、ポワンカレの帰国に原因するものと考えてのことだった。それはまさに、集会の権利を尊重せず、旧来の共和主義的自由をも蹂躪して、労働者の抗議の気勢を粉砕しようという政府の意思のあらわれにほかならなかった。

列車は三十分の延着を見た。ジャックは、サンドウィッチをたべにはいった駅の食堂から出てくると、そこでひとりの老新聞記者に出あった。すでに幾たびもプログレ亭で会ったことのあるルーヴェルという『社会闘争』紙の編集をしている男だった。家はクレイユにあって、毎日午後から新聞社に出てきていた。ふたりはいっしょに駅を出た。駅前広場や、それに面した家々は、まだ旗に飾られていた。きのう大統領のパリ帰還は、パリ全市に愛国熱の爆発をひきおこし、ルーヴェルは、自身それを目のあたり見たといって、思いがけないほどの感激でそのことを話して聞かせた。

「知ってるさ」と、ジャックは相手の話をさえぎった。「新聞という新聞が、それをでかでか書き立ててる。胸くそがわるいや……まさか『社会闘争』までが、おちょうしを合わせているんじゃないだろうな?」

「『社会闘争』が? では、このあいだのおやじの記事を読まなかったのか?」

「読まなかった。いまブリュッセルから着いたばかりだ」

「時局認識がおくれてるぞ……」

「ギュスターヴ・エルヴェが？」

「エルヴェは、愚劣な夢想家とはちがっているさ……事実をすべてあるがままにながめている……すでに幾日かまえから、もう戦争の避けられないこと、このうえ反対を固執することのおろかしさ、それがむしろ罪悪でさえあることを見ぬいていたんだ……火曜の論説を見るがいい、わかるから……」

「エルヴェが、愛国主義者になったって？」

「愛国主義者、そう言いたければ言ってもよかろう……なんのことはない、現実主義者というだけなんだ！　彼は、虚心坦懐に、政府の処置に挑発的な行動のあったという非難のあたっていないことを認めているんだ。そして結論として、フランスが、その国土のために戦わなければならなくなった以上、過去数週間にフランスのとった政策には、プロレタリアの裏切りを至当であると思わせるような、なんらの理由も見いだせないと言ってるんだ」

「そんなことを言ってるのか、エルヴェが？」

「それだけではない、それがひとつの《売国行為》であるとさえはっきり書いてる！　それというのは、守るべきフランスの国土は、とりもなおさずフランス大革命の祖国なんだから！」

ジャックは立ちどまっていた。そして、黙ってルーヴェルの顔をみつめていた。だが、考えてみれば、たいしてびっくりしたわけでもなかった。というのは、二週間まえ、ゼネスト問題が、ヴァイヤンとジョーレスによって、フランス社会主義者大会で討議に付されたとき、エルヴェがはげしく反対していたことを思いだしたからだった。

ルーヴェルは言葉をつづけた。

「時局認識がおくれているぞ。……ほかでもどんなことが言われているか、聞きにいってみるがいいや……たとえば『小共和国（プチット・レピュブリック）』社といったようなところ……それでなければ共和党本部といったようなところ。おれもゆうべそこへ行ってみたんだが……いたるところ、ぜんぜんおなじ意見なんだ……いたるところ、みんな目がさめたといったようだ……事態をさとったものは、けっしてエルヴェひとりではなかったんだ……なるほど、各国民間の友愛も、りっぱなものにちがいない。だが、すでに事態は発生している。それを正視することが必要なんだ。ところで、きみは何をしようと思ってるんだ？」

「どんなことでも。いまさらどうして……」

「つまり、戦争を避けるためには、国内戦争も辞するところにあらずといったわけなんだな？　夢だ！……ここまで来た以上、誰ひとり耳をかすものはないだろう……外国から攻めこまれるかもしれないという危険をまえにしては、あらゆる反乱工作は失敗するにきまっている。労働者仲間でさえ、インターナショナルのあいだでさえ、大多数のものは、一般大衆と歩調をそろえて、自分たちの領土を守ろうとしている……国際的同胞愛……そうだ、原則としては、だ！　だが目下の場合、そんなものは二の次だ。いまや、誰も彼もが、制限をもった同胞愛のことを思っている。つまり、フランス国民としての同胞愛だ……それに、じつのところドイツのやつらはずいぶんまえからいやがらせをつづけていた！　やつら、いよいよやる気なら……」

広場では、

「『パリ・ミディ』（『パリ』紙の正午版）！」

と、わめきながら走りまわっている五、六人の新聞売子の声がひびいていた。

ルーヴェルは、車道をわたって新聞を買いに行った。ジャックもそのあとにつづこうとした。ところが、そのとき、あたりを流していた一台のタクシーが彼の前を通りかかった。ジャックは、いきなりそれに飛び乗った。何をおいても、ジェンニーのところへ駆けつけなければ。

《エルヴェが……》と、ジャックは、むかむかしながら考えていた。《ああした連中までがへこたれたとなると、ほかの連中、弱小な連中、一般大衆……つまり毎朝手にするあらゆる新聞によって、戦争は正しい戦争と正しからざる戦争の二種類あること、そして、プロシャ帝国主義にたいする戦争、すなわち汎ドイツ主義を徹底的にたたきたおすための戦争こそは正しい戦争であり、それこそは民主的自由を守るための十字軍的戦争であると教えこまれているような連中なぞは、どうして踏みこたえることができるだろう！……》

天文台通りまでやってきたとき、ジャックは、フォンタナン家のバルコニーのほうへ目をあげた。窓という窓は、すっかりあけ放されていた。

《事によると、お母さんが帰って来たのかしら》と、ジャックは思った。

それはちがっていた。ジェンニーはひとりきりだった。彼女がさっと顔色を変え、喜びに心をとりみだし、ドアをあけるなり玄関の暗がりに身をすさらすのを見たジャックは、たしかに彼女がひとりきりにちがいないと思った。ジェンニーは、不安げな眼差しを彼にそそいでいた。だが、いかにもやさしいその目を見て、ジャックは、彼女のほうへ歩みより、きわめてすなおな態度で腕をひろげた。ジェンニーは、身をふるわせながら目をとじてジャックの胸に身を投げ入れた。ふたりにとって、これがはじめての抱擁だった……それは、ふたりとも、ぜんぜん予期していなかったことだった。ほんのちょっとのあいだの抱擁。ジェンニーは、ふと厳然たる事実を思いだしでもしたように、急にからだをふりほどいた。そして、新聞をひろげたテーブルのほうを指して、

「ほんとう？」と、言った。

「何が？」

「……動員！」

ジャックは、ジェンニーのしめした新聞を手にとった。それは、駅前広場で売られていた『パリ・ミディ』紙だった。すでに、一時間まえからパリじゅうの町という町で、何千部となく売られていたのだった。そしてついいましがた、この家の家番が、まるで気ちがいのようになって、ジェンニーのところへもそれを届けてきたのだった。

ジャックの顔に血がのぼった。

昨夜エリゼー宮では軍事会議が開かれた……第三軍団は、急遽国境方面へ向かって進発を命ぜられた……第八軍団所属の部隊は被服、弾薬、戦時食糧の支給をうけ、命令一下出発を待っている……

ジェンニーは心痛に顔をこわばらせながら、じっとジャックをみつめていた。だがやがて、そのためらいを吹っ切りでもしたような唐突さで、つぶやくようにこう言った。

「戦争になったら、ジャック……あなた出かけるの？」

ジャックは、すでに五日まえからこの質問を待っていた。彼は目をあげた。そして首をふって、決然《行かない》むねを答えた。

ジェンニーは《自分にもわかっていた》と思った。それから、何かうしろめたさを押しのけながら、すぐ心をとり直してこう思った。《行かないためには、ずいぶん勇気が必要なんだ！》

最初に口をきったのはジェンニーだった。

「こっちへいらしって」

ジェンニーは、彼の手をとって、ひっぱっていった。彼女の部屋のドアは、あけ放されたままになっていた。ジェンニーは、一瞬ためらってから、ジャックを中へはいらせた。ジャックは、べつに注意もせずに彼女のあとについて行った。

「たぶんほんとうではないだろう」と、ジャックはためいきのように言った。「だが、あしたにもほんとうのことになり得るんだ。戦争は、ぼくたちを十重二十重にしめつけている。その輪は、だんだんせばまっていく。ロシアはがんとしてゆずらない。ドイツも同様……どこの国でも、政府は、いつもおなじように、人を愚にしたような申し出、強情、判でおしたような拒絶をくり返す以外に能がないんだ……」

《そうだ》と、ジェンニーは思った。《こわいからではなかったんだ。彼には勇気がある。彼は論理的だ。ほかの人たちとおなじ行動をとるはずはない。彼は負けるはずがない。動員されたりするはずがない》

ジェンニーは、だまってジャックのそばへ近づくと、その胸の中に身をちぢめた。

《わたしといっしょにいてくれるだろう！》と、ジェンニーはとつぜん考えた。そして、思わず心がおどりあがった。

ジャックは、腕をまわしてジェンニーをだいていた。そして、立ったまま、かがみこんで、なかば隠れている彼女のひたいにキスをした。ジェンニーは、しっかりだきしめられているのを感じて、なんとも言えない快さに、気が遠くなりそうな気持ちだった。自分でもなぜとわからず——自分を持ちあげてもらい、どこかへ運んでいってもらうためといったように、からだをちぢめ、からだをかるくするようにつとめていた……ジェンニーは、ジャックの旅行中のことについてはたずねなかった。たずねるだけの勇気がなかった。ジャックは、自分の顔を押しあてながら、彼女の顔をあげさせた。そして唇を、彼女の頬のあたり、すべすべした長い頬にそって、口のあたりまですべらせた。彼女は固く口を結んでいた。だからといって、それをそらすつもりはなかった。ジェンニーは、男の執拗なキスの下で、息がつまりそうな気持ちだった。そして、息をつくため、顔と顔のあいだに手をさし入れ、自分の上体を遠ざけた。彼女の表情は、おどろくほど平静で、それにきわめて荘重だった。彼女自身、これほどはっきり自身をみつめ、責任を感じ、決心のほどをしめしたことは、いままでかつてないことだった。ジャックは、手荒にならないように心をくばりながら、ふたたび彼女をはげしくだいた。相手は、わるびれもせず、抵抗もせずに、されるままになっていた。彼女としては、こうして彼にだかれていると感じる以外、ほかになんの願いもなかった。ふたりは、頬と頬とをひとつにあわせ、じっとだきあったまま、狭いディヴァンといったように窓の前に据えてある低いベッドに腰をおろした。しばらくのあいだ、ふたりは身動きもせず、たがいに黙りこんでいた。

「ママからはあいかわらずたよりがないんですの」と、低い声でジェンニーが言った。

「そう……ママから……」

ジェンニーは、自分の苦しんでいる心配ごとについて、彼がいかにも無関心でいるのをちょっとのあいだうらめしく思った。

「たよりがない？」

「ウィーンから、駅で書いた月曜付けの《安着》という葉書が一本きたきり！」

ジェンニーは、その葉書を、きのう水曜の朝受けとった。それ以来、彼女は死ぬほどの心配をつづけながら、むなしく郵便を待っていた。だが手紙も電報もこなかった。彼女は、あれやこれやと、ただあてもなく思いめぐらすばかりだった。

ジャックは、うわのそらの眼差しで、自分の知らない部屋の中を見まわしていた。これを見たのがもし数日まえだったら、彼はとても心を動かされたにちがいなかった。それは、明るい、きちんとした、そして、白と青のしまの壁紙のはられた小さな部屋だった。切込み暖炉のマントル・ピースが化粧台がわりになっていた。そこには、ぞうげ細工のブラシやヘヤ・ピンの針山がおかれ、鏡のふちには何枚かの写真がはさまれていた。テーブルの上には、白皮の表紙のついたノートが、とじられたままになっていた。あわただしくたたまれた何枚かの新聞以外、そこには何ひとつとり散らされていなかった。

ジャックは、低い声で、彼女の耳もとでこう言った。

「きみの部屋……」そして、相手が何も返事をしないのを見ると言葉をにごすように言った。「ママが、まさかあのまま旅行をおつづけだろうとは思わなかったな……」

「あなたにはママがわからないのよ！　いったんこうと思いつめたら、ぜったいあとへ引かない人なのよ。そして、向こうへ行ってしまったうえは、考えていたとおりを何から何までやってのけるつもりでいるのよ……でも、ママにそれができるかしら？　どう？　いまごろオーストリアにいて、あぶないことはないかしら？　え？　どんなことになるかしら？　ぐずぐずしていて、帰してもらえるかしら？」

「さあ」と、ジャックはすなおにそれに答えた。

「といって、どうしたらいいかしら？　行先だってわかっていないし……たよりのないということを、どう考えたらいいのかしら？　向こうを発っているのだったら、せめて電報でも来るはずだし……だから、やっぱりウィーンにいるんだと思うわ。手紙は、途中でなくなることもあるだろうし……」ジェンニーは、心配そうな身ぶりで、テーブルの新聞を指さした。「でも、こんなことを読むと、いやでもからだがふるえてくるわ……」

ジェンニーは、朝早くそれらの新聞を買いに出かけた。そして、ジャックが来るのに留守にしてはいけないと思って、いそいで帰ってきたのだった。そして、自分にとって親しい人たち、ジャックとか、母とか、ダニエルなどの身にふりかかる危険に心をうばわれながら、朝のうち、それをなんべんとなく読みかえしたのだった。

「ダニエルからもたよりがあったわ」とジェンニーは立ちあがりながら言った。

彼女は、吸取紙ばさみの下にあった手紙をとりに行き、それをジャックのほうへ差しだした。そして、まるで忠実な動物とでもいったように、自分からジャックのからだに身をよせてきた。

ダニエルの手紙には、母の旅行を知って胸を痛めていることが率直に書かれていた。そして、こうした不安なおりもおり、パリにひとりぼっちでいるジェンニーの身の上に同情していた。アントワーヌや、エッケ家をたずねてみるようにともすすめていた。まだまだ事態収拾の見こみはある、あまり驚かないように、とも言っていた。だが、追って書きとして、自分の所属している軍団が緊急状態におかれたこと、その夜のうちにリュネヴィルを出発するらしいこと、おそらくしばらくはたよりもむずかしいだろう、と書いていた。

ジェンニーは、ジャックの胸に頭をあずけ、目だけをあげて、その読みおわるのをながめていた。ジャックは手紙をたたむと、それを彼女の手に返した。彼は、ジェンニーが、自分から希望の言葉をかけられるのを待っていることを察した。

「ダニエルの言うとおりだ。事態はまだ収拾のみちがある……ただ、各国の民衆がわかってくれたら、……彼らが立ちあがろうと決心してさえくれたら……そのためにこそ、最後の最後という瞬間までやってみなければ！」

片時も忘れないその考えにそそられながら、彼は手短に、パリでの、ベルリンでの、ブリュッセルでのデモのこと、そして、ヨーロッパ全土にわたり、あらゆるものを向こうにまわして平和の意思をさけんでいるそうした群衆の、心を一にしての興奮を目のあたり見て、いかに胸を打たれたかを話して聞かせた。彼はたちまち、いまここにこうしていることがなんとも恥ずかしくなってきた。彼は、同志たちの活動のこと、しかもきょう、さまざまな社会主義セクトで行なわれているであろう集まりのこと、自分個人としてしなければならないこと——すなわち、自分がそれを受け取って、一刻も早く党の用途に当てなければならない金のことを思いだした。……ジャックは、きっと顔をあげた。そして、ジェンニーの髪をなでてやりながら、さみしそうな、と同時にぶっきらぼうなちょうしではっきり言った。

「ジェンニー、ぼくは、いつまでもきみといるわけにはいかないんだ。ぼくを必要とする仕事がたくさんあるんだ……」

ジェンニーは、じっとからだを動かさなかった。だがジャックには、彼女のからだの緊張が感じられ、彼女の目が自分のほうへちらりと絶望的な眼差しを投げたことが見てとられた。ジャックは、さらにはげしく彼女をだきしめ、とりみだした彼女の顔をキスでうずめた。彼はジェンニーがいとしかった。そして、事態の持つ全重量が、どうにも救いようのない無言の苦痛とともに、とつぜんひしひしと思い浮かんだ。

「といって、きみをいっしょにつれて行くわけにもいかないし……」と、彼は、われ知らず口に出したといったようにつぶやいた。

ジェンニーは、はっとからだをふるわせた。そして、思いを決したようにこう言った。

「どうしてだめ？」

そして、その気持ちをジャックがのみこむよりさきに、彼女は、ジャックの腕をのがれたと思うと、箪笥の引き出しをあけながら、帽子と手袋を取りだした。

「ジェンニー！　言ったじゃないか……とてもだめだ……会わなければならない人、しなければならないことが山ほどあるんだ……『ユマニテ』社へも行かなければならない……『リベルテール』社へも、それにもっと方々……今夜はモンルージュへ行かなくては……そのあいだ、きみはどうしているつもりだ？」

「下で、往来で待ってるわ……」と、ジェンニーは訴えるようなちょうしで言った。そうしたちょうしに、思わずふたりはびっくりした。彼女はすでに、自尊心といったようなものをすて去っていた。三日会わずにいたことから、すっかり変わってしまっていたのだ。「いつまでだってお待ちするわ……じゃまなんかしないわ……だからいっしょにつれてって。いつもいっしょにいさせてほしいの……でも、こんなお願いをするんじゃなかった、とてもだめだということは、ちゃんとわかっているんですもの……でも、どうか……ここに……こんな新聞といっしょにあたしを残していかないで！」

ジャックにとって、これほどジェンニーを身近に感じたことはこれがはじめてだった。それこそは、新しいジェンニー──闘争のための同志だった。

「よし、つれて行こう！」と、ジャックは、うれしそうにさけんだ。「ぼくの友人たちを紹介しよう……そうだ……今夜、モンルージュの集会へいっしょに行こう……さあ！」

「まず第一に遺産問題をかたづけなくては……」ふたりつれ立って外へ出るなり、ジャックはきっぱりしたちょうしで言った。「そのあとで『パリ・ミディ』の記事がほんとかどうかをたしかめなければ」

声のちょうしも浮きうきしていた。ジェンニーといっしょということから、楽しい日のちょうしがもどってきていた。彼は、その手を、ジェンニーの腕の下にすべりこませた。そして、いそぎ足で、リュクサンブール公園のほうへつれて行った。

仲買人の事務所では（銀行の各支店、貯蓄銀行、郵便局でもおなじように）、窓口に群集がつめかけ、紙幣を貨幣に代えようとひしめきあっていた。取引所では、二日まえからパニック状態がつづいていた。仲買人、取引所のおもだった面々は、政府にはたらきかけ、モラトリアム(支払停止令)を出してもらうのに必死になっていた。それがかなえば、とにかく七月の清算を、八月末まで延ばせるのだった。

「なかなかおみごとなお聞きこみですな」と、支配人は、敬服しながら目ばたきをした。「二日ちがいで、あぶなくお申しつけどおりにできかねるところでした」

「そうでしたな」と、落ちつきはらってジャックが答えた。

何時間かの後、チボー氏の残した莫大な財産のなかばは——この短時日ではとうてい処分できない南米株二百五十万フランを除いて、——ステファニーの手を通じて、ひとりの、口の固い、責任をもてる人の手に引きわたされた。匿名による寄付金は、その人の手から、二十四時間以内にインターナショナル本部へおさめられることになっていた。

五十六

おなじころ、アントワーヌは、リュメルの注射のために外務省の階段をあがっていた。数日まえ、とりわけ大臣が帰ってきてから、リュメルは昼夜を分かたぬ忙しさで、ユニヴェルシテ町へ出かけることをあきらめていた。そして、からだを酷使する結果、いつにもまして毎日の注射を必要としていたため、アントワーヌのほうから規則正しく出向いてくることになっていた。アントワーヌは、それを喜んで引きうけた。つまりリュメルの事務室ですごす二十分のあいだに、その日その日の外交上の潮の満干を教えてもらえるからのことだった。彼は、こうした偶然の機会から、パリ飛びきりの情報通のひとりになれるだろうと思っていた。

廊下と、その隣の小さな客間に、何人かの人たちが面会を待っていた。だが、守衛は、アントワーヌを知っていて、通用口のドアから入れてくれた。

「どうだい」と、アントワーヌは、ポケットから『パリ・ミディ』紙をとり出しながら言った。「事態ますます急を告げているようじゃないか?」

「ちぇっ……」リュメルは、椅子から腰をあげ、まゆにしわをよせながら言った。「そんなものは破いてくれたまえ……すぐさま否認してやったんだ! こうした恥知らずの報道にたいしては、政府は告訴することになるだろう。とりあえず、警察の手で残部をすっかりおさえさせた」

「では、虚報だったというわけなのか?」と、ほっとした気持ちでアントワーヌがたずねた。

「……というわけでもないんだが」

アントワーヌは、デスクのはしに道具をのせながら、顔をあげた。そして、疲れたようすで着物を脱ぎはじめているリュメルをみつめた。

「ゆうべ、きわめて重大な警報がはいったことにはまちがいないんだ……」声は、疲労のために沈んでいて、アントワーヌは、ふだんとちがった印象をうけた。「朝の四時というのに、みんなもう起きていた。気が気じゃなかった……陸軍大臣は急にエリゼー宮へ呼びよせられた。すでに首相もやってきていた。そして、二時間というもの、真剣に……非常措置についての討議をしたんだ」

「で……その措置は、取らないことになったのかね？」

「けっきょく取らないことにきまった。時期尚早……けさからは、幾分の情勢緩和を伝えるようにとの申しつけだ。ドイツからは、公式に、動員をしないと知らせてきた。それどころか、すすんでオーストリアやロシアへ向かって、活発に《談判》しているということだ。そんなわけで、目下わが国として、何かイニシアチヴを取ったりして、事を危険に導いたりしては……」

「ドイツの態度はさい先よしだな！」

リュメルは、目くばせしながら相手をおさえた。

「見せかけだけさ！　単に見せかけだけなんだ！　そうした緩和的な態度は、じつはイタリアを味方にひっぱりこむことができないだろうか、それをためしてみるためなんだ。事実において、そんな態度に価値はないんだ。いまさらオーストリアにしても引きさがれまいし、ロシアにしてもひっこむつもりのないことを、ドイツ自身、われわれ同様知ってるんだ」

「そう聞かされると驚くばかりだな……」

「オーストリアにしても、ロシアにしても、だ……さらに《その他の国》にしても、だ……つまり、そうしたことが、事態を収拾すべからざるものにしている。ほとんどいたるところ、各国政府の腹の中には、平和を求めたい気持ちがある。だが、それと同時に、いたるところ、戦争したい意思がみなぎっている……各国政府は、情勢に押され、おそろしい仮定の前に追いつめられて、いちように《どっちみち一か八かの勝負なんだ……うまくいったらすばらしい目が出るかもしれない！》と思っている。そうなんだ！　きみも知ってると思うが、ヨーロッパの各国は、ずっとまえから、いつも腹に何かひとつの目的、いずれ戦争にひっぱりこまれることになるなら、そこから何か利益を引き出そうと思っていたんだ……」

「わが国でもか？」

「わが国でも、すでに指導者たちの中でもっとも平和主義的と言われている者までが、《何はともあれ、ドイツとの決着をつけ……アルザス・ロレーヌを取りもどすことのできる好機会だ》と思っている。ドイツはドイツで、この機会に包囲圏を打ちこわしてやろうと思っている。イギリスで、ドイツ海軍を全滅させ、ドイツから爆弾や植民地をかすめ取ってやろうと思っている。あらゆる国が、大事変を避けたいと思いながらも、すでにそれの向こうに、……いざ事がおこったら手に入れられるかもしれない利益のことを考えてるんだ」

リュメルは、低い、単調なちょうしで話していた。まるで話すのに疲れ、しかも、あまりにも疲れきっているために、かえって黙っていられないとでもいうようだった。

「で？」とアントワーヌが言った。彼は、希望と不安とに肉体までが苦しくなり、いまはむしろ戦争が宣言され、出征しなければならないと言われたほうがどれほどましかわからないといった気持ちだった。

「それに……」とリュメルは、相手の問いに答えようともせずに言った。彼は口をつぐみ、ふさふさとカールさせた髪を、ゆっくり指ですいてから、両手でひたいをかかえこんだ。

二週間以来、朝から晩までこれらあらゆる問題についてしゃべりつづけ、またそれがいろいろ展開して語られるのを耳にしつづけていた彼は、自分の話している問題がどれほど重大なのかの意識さえ失ってしまっているようだった。立ったまま、目を伏せて、両手をこめかみにあてながら、彼は微笑しつづけていた。ワイシャツのすそは、ぼてぼてした、白いブロンドのうぶ毛のはえたもの上でひらひらしていた。その微笑にしても、それはアントワーヌにたいしてのものではなかった。それは、あいまいな、苦々しいといったような、そして、ほとんどうつけたような渋面の微笑。けだし、はなはだ《獅子らしく》ない微笑だった。はっきりわかる憔悴のあとは、むくんだ顔、ごま塩のちぢれ毛が汗でぴったりくっつき、しわのできている彼の土け色のひたいのうえにも見られていた。彼は二日間というもの、ずっと省に泊まっていた。疲れるどころのさわぎではなかった。水の中を長いこと稲妻形に引きまわされた魚とでもいったように、彼は、劇的なこの一週間の衝撃によって、すっかり力をすりへらされ、だめにされ、消耗させられてしまっていた。注射のおかげで（それに、アントワーヌからの禁を破って、二時間ごとにかじっているコラ錠剤（刺激性不眠剤）のおかげもあって）、その日その日のつとめだけはすごしてきた。だが、それも夢遊病一歩手前といった状態においてだった。からだの機能は、ねじをまかれるので、動くことだけは動いていた。だが、何かしら重要な器官が停止しているといった感じだった。いまやからだ全部の機能が、言うことをきかなくなりかけていた。見た目にだけでも哀れだった。それにもかかわらず、アントワーヌは聞きたい一念に燃えていた。彼は、くり返して、

「それに？」と、たずねた。

リュメルは、はっと身をふるわせた。そして両手をあてたままの顔をあげた。頭は鳴り、もろくなって、ちょっと何かにぶつかったらたちまちこわれでもしそうだった。そうだ、そういつまでも、この状態がつづくわけでもないだろう。最後にはきっと大爆発がおこるにちがいない……彼は、せめて半日、場所はどこでもかまわない、たとい刑務所の監房であろうと、ひとりでいられ、完全な休養がとれるのだったら、自分の地位、自分のこれからの希望をすてても、つゆ惜しくないような気持ちがしていた……

それでいて、彼は、まえより声を落としながら言葉をつづけた。

「それに、わが国にはこうしたことがわかっている。ドイツは、ロシアにたいして、もしロシアが少しでも動員を進めたら、直ちに動員令を出すということを通告したんだ……一種の最後通牒だ！」

「それにしても、何がいったいロシアの動員中止をさまたげているんだ？」と、アントワーヌがさけんだ。「きのうあたり、ツァーは、ヘーグの平和裁判所の仲裁を提案したというじゃないか？」

「そのとおり。ただし、問題はそこにあるんだ。ロシアでは、仲裁をうんぬんしながら、執拗に動員がつづけられている！」と、リュメルは、気のりのしないちょうしで言った。「わが国に無通告で、

しかもわが国に内密での動員なんだ！……そして、それはいつからか？　ある者は二十四日以来と言っている！　オーストリアの宣戦布告に先だつ四日まえだ！　そして、オーストリアの動員に先だつ五日まえだ！　ゆうべ、サゾノフは、われらにはっきり、ロシアは目下軍備をいそいでいると明言した。それをきくと、誰よりも誠実に、なんとしてでも戦争を避けたいと望んでいたらしいヴィヴィアニは、文字どおりあっけにとられた。動員の――総動員の勅令が、今夜ペテルスブルグで公式に発表されたにしても、われらのうちの誰ひとり、おどろいたりはしないだろう！……今夜の軍事会議も、つまりそれが原因なんだ……そうなれば、ヘーグの平和裁判所に仲裁を仰ぐといった理想家めいた提案や、目下刻々、カイゼルと、その従弟であるツァー（ロシア皇帝）とのあいだにとりかわされているらしい《友好的》な書簡などより、事はきわめて重大なんだ！……では、なぜロシアはそんなに執拗に挑戦的態度をとっているのか？　それははたして、ポワンカレが、いつも用心ぶかく、ドイツが兵を動かして乗りださないかぎり、ロシアはフランスの軍事的援助を期待できないぞとくり返していたためなのだろうか？　それも変だ……むしろ、ロシアのほうが、ドイツをしていやおうなしに挑戦的な態度をとらせ、その結果、フランスをして同盟国の約をはたさせようとしているらしいんだ！……」

　リュメルは口をつぐんだ。彼は、じっと自分のひざをながめながら、手で両足をたたいていた。それ以上話すことをためらってでもいるんだろうか！　どうもそうとは思われなかった。アントワーヌには、きょうのリュメルが、もはや何を言っていいのか、何を言って悪いのか、判断がつきかねているように思われた。

「ポワンカレはがんばってる」と、リュメルは、顔をあげずに言葉をつづけた。「とてもがんばってるんだ……たとえば、だ、今夜、ペテルスブルグ駐在フランス大使向けで、フランス政府の命により、ロシアの動員を絶対否認すべしという電報がいってるはずだ」

「でかしたぞ!」と、アントワーヌはむじゃきにさけんだ。「ぼくはいつも、ポワンカレが戦争に賛成しないだろうと思ってたんだ」

リュメルは、すぐにはなんとも答えなかった。

「ポワンカレは、とりわけわが国の責任だけを安全なものにしておきたいと思っているんだ」と、彼はとつぜん、にっと歯をむき出しながらつぶやいた。「なにしろ、おそく着こうがどうであろうが、たといどんな結果になったところで、電報だけは打っといたんだ。ちゃんと記録にとどめられるわけだ。そして、わが国の平和への意思だけは証明されるというわけなんだ……これでフランスの名誉は救われる……ちょうどいい時期だったんだ……きわめてじょうずな手を打ったんだ」

リュメルは、受話器を手にとった。ベルの音が、低くひびいたからだった。

「だめだ……新聞記者には誰にも会わんといってくれ……だめだ、その男にしてもだ!」

アントワーヌは、考えこんでいた。

「だが、フランスが、いままでもぜったいロシアの動員をくいとめようと思っているなら、そんな公式な否認以上に、もっと有効な方法はないだろうか? このあいだのきみの話では、もしロシアがドイツよりさきに動員した場合は、条約によって、フランスはロシアを援助しないでもいいということだった。とすると、ある程度強力にサゾノフにそのことを思いおこさせ、戦争準備を緩和させさえすればいいんじゃないか？」

リュメルは、さも子供のおしゃべりを聞いているかのように、にこやかに肩をすくめて見せた。

「だがきみ、昔の露仏条約が、いまさら何になると思うんだね？　ぼくがまちがっているかどうか、歴史が語ってくれるだろう。だが、ぼくには、この三年間、とりわけ最近の数週間――いつもあいかわらずのロシアの巧妙な両面政策にあやつられて――それに、おそらくはわが指導者たちの人のいい不注意もてつだって――ロシアとの同盟は、無条件に改正されてしまっているんだ……そしてフランスは、その締盟国の軍事行動にすっかりしばりつけられてしまっている……そして、これはどうもわが外務大臣のやったことのようには思われない……」と、リュメルは低い声でつけ加えた。

「だって、ヴィヴィアニとポワンカレは、よく気があっているんだろうに……」

「ふん」と、リュメルが言った。「気があう、もちろんそれにはちがいない……ちがっているのは、ヴィヴィアニが、いつも軍部の力に抵抗しつづけてきたことなんだ……ご承知のとおり、ヴィヴィアニは、首相になるまで、三年兵役に反対していたもののひとりだった……ついきのうも、船からおりた時の彼は、すべて難なく折りあいがつき、つき得るもののように堅く信じているようだった。ところがきょうは？　今夜、大閣議のすんだあとでは、彼はすっかり面がわりがしてて、見ているほうで痛々しかった……いざ動員となったあかつき、辞職と聞いてもおどろかないな……」

そう言いながら、彼は足を引きずり、長椅子のところまで歩いて行った。そして、クッションに鼻をつっこみ、わき腹を下にして身を横たえた。

「きょうは」彼は、あいかわらずのもったいぶったちょうしで言った。「たしか右のももだったな」

アントワーヌは、注射をするためにそばへよった。

しばらくのあいだ沈黙がつづいた。

「初めのうちは」と、リュメルは、クッションにおしつぶされた声で言った。「オーストリアが、平和を守ろうとする努力をわざと怠っていたようだった。ところがいまでは、ロシアのほうがはっきりそうなんだ……」彼は、立ちあがり、ふたたび服を着にかかった。「すなわちロシアは、頑強に、ほとんどのイギリスの仲裁の努力を水泡に帰せしめようとした。きのう、ロンドンでは、真剣な工作が論議され、ある種の折衝案が案出された。イギリスは、ベルグラード占領をもって単にひとつの事実、オーストリアのとった単なる保証行動として、暫定的に承認しようと申し出た。その代わり、オーストリアに、その意図をはっきりさせてもらいたいといった。つまり、商議をはじめるのに、それが出発点となるわけなのだ。ただし、これには、列強こぞっての賛成が必要だった。ところが、ロシアはきっぱり拒絶の意をしめした。つまり、絶対的条件として、セルビアにおける戦争行為の公式停止、オーストリア軍隊のベルグラードからの撤退を要求した。これは、目下の情勢から推して、オーストリアにとって、受諾不可能な譲歩を要求することにほかならなかった！　そして、すべてはまたもやご破算になった……そうだ、いっぱい食わされてはいけないんだ。ロシアは、抜くべからざる決意によって動いている。それは、必ずしも最近思いついたものではないらしい……ロシアは、どんなことにも耳をかさない。自国に利益とにらんだ戦争を、いまさらあきらめようなどとは思っていない。けっきょくわれらも、踊りの中にまきこまれずにはいないだろう……ぜったいのがれる道はないだろう！」

リュメルは、すでに上着を着けていた。そして、ネクタイがうまく結べたかどうか鏡でたしかめようと、機械的に、切込み暖炉のほうへ歩みよった。だが、彼は途中でふりかえった。

「しかも、省内で誰ひとり、真に事実をつかんでいるものがいないなんて、いったい考えられることだろうか？　ほんとのニュースにくらべ、嘘のニュースのほうがずっと多い……どうしたらそれが見わけられるか？　考えてもみたまえ、この二週間というもの、いたるところの国々で、あるいは外務省なり参謀本部なりのありとあらゆる部屋の中で、ひっきりなしの電話のベルだ。しかも、そのどれもこれもが、即答を求める電話なんだ。そして、へとへとになった責任者たちには、考えるひまも、研究するひまもありはしない！　考えてもらおう、いたるところの国々の参事官、大臣、元首たちの机の上には、隣接国のおもわくを知らせる暗号電報が刻々山のように積まれていく！　たがいに矛盾しあっているニュースだの、断定だのの引きおこす気ちがいじみた騒音、しかもそのすべてが、ひとつひとつと重大さを加え、緊迫の度を加えている！　こういう上を下へのごったがえしの中で、どうして事の真相がつかめよう？　たとえば諜報網からの極秘の情報が、何か思いがけない、切迫した危険を知らせてくる。迅速に手を打てばまだふせげるかもしれない危険についてだ。ところが、それをたしかめる方法がない。もしこっちが手を打って、しかもその情報が嘘だったとしたら、手を打つことによって事態は悪化し、ことによると相手かたの決定的な態度をさそい出すことになり、せっかくできかかった商議をだいなしにするおそれがあるんだ。だが、手を打たずにいて、しかもその危険が事実だったとしたら？　あしたになったらもう手おくれだ……ヨーロッパは、いまやまさに、文字どおり、まるで酔いどれ女といったように、なかば嘘、なかばまことの情報のなだれの下によろめいてるんだ……」

リュメルは、無器用な手つきでカラーをつけながら、部屋の中を行ったり来たり歩きまわっていた。そして、彼もまたヨーロッパとおなじように、どう考えていいかわからずに、ほとんどよろめいているようだった。

「外務省はきのどくさ！」と、彼はつぶやくように言った。「みんなから、よってたかって石を投げられているんだから……だが、じつのところ、平和を守ることのできるものは、外務省以外になかった。そして、もし外務省にして、問題の核心に向かって全力をそそぐことができていたら、おそらくそれに成功していたにちがいない。ところが、その全力たるや、単に人々の、また国民の、自尊心の顔を立てるためだけに使いはたされているしまつなんだ！　哀れなものさ……」

彼は、だまって器具をしまいかけているアントワーヌのそばへ来て立ちどまった。

「それに」彼は、言わずにはいられないといったように言葉をつづけた。「いまとなっては、事は、外務省や政府当事者だけではきめられなくなっている……ここの外務省でも、数日来、政策と外交のための時はもはや過ぎ去ってしまった感じだ……いま、いたるところの国々には、発言権を持った連中がいる。軍人どもだ……彼らがいちばん強いんだ。彼らは国家防衛の名において物を言う。そして、軍人以外のすべての力は、かぶとを脱いでしまっている……そうだ、いかに平和を愛している国においても、実力は、すでに参謀本部の手中にある……そして、事ここにいたった以上……事ここにいたった以上……」彼は、何かとりとめのない身ぶりをした。苦しそうな、うつろな微笑がふたたび彼の唇に浮かんだ。

電話のベルが鳴りわたった。

しばらくのあいだ、リュメルはじっと電話をみつめていた。

「おそろしい歯車だ」と、彼は目を伏せたままつぶやいた。「ひとりでに動きだしでもしたような歯車なんだ……ぼくたちは、まるでブレーキがきかず、それ自身の重さで急坂を駆けおりて行く列車とでもいったように、奈落への転落をつづけている。勢いは、一刻一刻加わり……いまや目がくらみそうな速さになっている。事態は、すでに手をはなれてしまった感じだ……導くものもなく、誰ひとりそうさせようとも思わないのに、それ自身、ひとりでどんどん進んでいる……そうだ、誰ひとり……大臣にしろ、王さまにしろ。それと名のあげられるようなものの誰ひとり……誰も彼もが追われた感じ、裸にされた感じ、手足をもがれた感じ、おどらされている感じ……しかもそれが、どういうふうにしてなのか、誰の手によってなのかわかっていない……誰も彼もが、ついきのうまで、ぜったいそんなことはしないと言いきっていたことをやっている……まるで、責任ある連中が、みんなおどらされてでも——何にだろう——高いところから、ずっと遠くから、何か目に見えない力によっておどらされてでもいるようなんだ……」

リュメルは、何かしら気のない目つきで電話をみつめながら、その上に手をおいた。やがて彼は身を起こした。そして、受話器を取るまえに、アントワーヌのほうへ親しみを見せた手まねをした。

「では、またあした……ゆるしてもらおう、送らないぜ」

五十七

外務省を出たアントワーヌは、とても疲れて熱っぽく、気持ちもすっかりみだれていたので、その日たくさん仕事があったにかかわらず、往診に出かけるまえ、ちょっと家へ帰って休むことにした。彼は、そんなことが起こり得るとは信じられなかったにかかわらず、心の中にくり返した。《おそらく一カ月すれば……動員だろう……それから先は未知の世界だ……》

門をはいったとき、彼には玄関を出てきた若い男が、彼の姿を見て立ちどまったのが目にはいった。シモン・ドゥ・バタンクールだった。

《亭主だ》アントワーヌは、身がまえしながらそう思った。

かつて幾度か会ったことがあり、――つい昨年も、アンヌの娘にギブスをはめさせたときに会っていながら、彼には、すぐにそれと思いだせずにいたのだった。

シモンは、言いわけをした。

「きょうはご診察日だと思っていたので……出たとこ勝負であしたとお約束しておきましたが、じつは今夜ぜひベルクへ帰りたくなりましたんで……たいしておじゃまでないようでしたら……」

《なんの用で来たんだろう?》と、アントワーヌは警戒しながら考えた。彼は、堂々と立ちふるまい、逃げかくれなぞしたくなかった。

「十分ばかり……」と、彼は無愛想に言ってのけた。「失礼ですが、きょうは一日往診がありますから……おはいりください」

アントワーヌは、ふたりの呼吸、ふたりの汗がまじりあうせまいエレヴェーターの中に並びながら、いやだと思う奇怪な感じでさらにかき立てられる憎悪の気持ちにこわばって、心の中でくり返していた。《アンヌの亭主……》

「戦争が避けられるだろうとお思いでしょうか?」と、とつぜんバタンクールがたずねかけた。子供っぽい、やさしい、捕らえどころのないような微笑が、その唇に浮かんでいた。

「どうやらわからなくなってきましたな」と、アントワーヌは陰気なちょうしでつぶやいた。

相手は、顔をくしゃくしゃにした。

「そんなことはあり得ませんよ……そんなことになろうなんて、そんなことはあり得ませんよ……」

アントワーヌは、ひと言も言わずに、鍵輪をもてあそんでいた。彼はドアをあけた。

「じつは、娘のユゲットのことでご相談にあがったのですが……」と、バタンクールが口を切った。

「さあどうぞ」

自分にとってなんでもないこの娘、それでいてまるで実の娘のようにかわいく、いまでは、なおしてやりたさで一心になっているらしいその娘の名を、彼は、人をしんみりさせるような感動をこめながら口にのぼせていた。彼は、娘の療養生活の巨細にわたって、次から次へと話してきかせた。娘は、天使のような忍耐づよさで、ギブスをはめ、身を動かせない長い生活に耐えている、と話してきかせた。娘は、一日のうちに九時間か十時間か戸外ですごすことになっていた。彼は、娘に一頭の白い小さな雌驢馬を買ってやった。それが、ベルクの町を通って、娘の《寝棺》（娘が寝たまま乗れる小さな馬車）を砂丘のところまで引いて行くのだった。晩には本を読んできかせてやる。そして国語、歴史、地理なども少し教えてやる。

バタンクールを自分の部屋へ案内しながら、アントワーヌは黙って彼の話に耳をすましていた。そして、職業上の注意をこめて相手の話をたどりながら、患者の病状について必要なだけの徴候をあつめていた。彼は、アンヌのことなど、ぜんぜん忘れてしまっていた。ただ、かつてアンヌを幾度となくかけさせたおなじ安楽椅子に、バタンクールが身を埋めるのを見たとき、彼の心には、気味の悪いほど執拗に、次のような考えが思い浮かんだ。《あそこにいるあの男、おれに話しかけ、おれに微笑して見せ、いろいろ心配事をおれに打ちあけにきた男、あれはおれのだました男であり、おれがその妻をぬすんだ男であり、しかも彼自身それに気がついていない男なのだ……》

彼は、最初のうち、何かはっきりしない、肉体的な気づまりといったようなものを感じていた。それは、何かしらさわりたくないようなもの、いやだと思うものにさわったときの不愉快な感じだった。やがて、バタンクールがとつぜん黙りこみ、遠慮しているらしいようすを見せたとき、アントワーヌの心の中を、一抹疑惑のかげがかすめた。《知ってるのかな?》

「じつは今度出て参りましたのは、先生に、看病しているものの気持ちをお耳に入れようとしてではないのでして」と、バタンクールが言った。

アントワーヌの目は、われしらず探るようになって、話のつづきをうながした。

「というのは、目下いろいろやっかいな問題がおこっておりまして……手紙では何かと誤解のおそれがあります……それで、すべてをはっきりさせるため、お目にかかったほうがいいと思いまして……」

《知っていないはずがあるものか》と、すばやく頭の中でひらめいた。

しばらくのあいだ沈黙がつづいた。そのあいだ、アントワーヌは、あれやこれやととほうもない想像を思い描いてみた。

「じつは」と、バタンクールは言葉をつづけた。「ベルクにおいておくのが、はたしてユゲットのためにいいのかどうかわからなくなりましたので」そして、彼は気候についていろいろ説明をはじめた。

彼の言うところによると、回復の速度は復活祭のころから目に見えておそくなった。だが、ベルクの医者は、自分の土地を弁護したい気持ちから、海に近いことが子供のからだに悪いとは考えようとしなかった。おそらく、海抜の関係によるのだろう。おりから、ユゲットの乳母のミス・メリーのところへ、イギリスの知りあいからの手紙がきて、東部ピレネーのひとりの若い医師についてすばらしいことを教えてくれた。その医師は、この方面を専門にしていて、しかも驚くべき成績をおさめているということだった……

アントワーヌは、身動きもせず、やぎのようにとがった相手のやせぎすな顔、砂丘の日にもやけなかったこのブロンドの男の明るい皮膚をながめていた。アントワーヌは、バタンクールの言葉に耳をすまし、その思いつきのよしあしを慎重に考えているふりをしていた。だが、じつのところほとんど聞いていなかった。そして、アンヌが、ときどき打ちあけ話をしたとき、彼女が夫に関してくだした批判のことを思いだしていた。ぜんぜんとりえがなく、気まぐれで、利己主義者で、虚栄心がつよく、陰険でいじの悪い男。きょうまでのところ、彼はアンヌの描いた夫の姿を、ただそのままに信じていた。それというのは、彼女は夫のことを、いつも少しばかにしたような無関心さで話していたからのことで、それが、彼女の言葉を、いかにも真実らしく思わせていたからだった。だが、当の本人を前にしたいま、アントワーヌの頭の中では、さまざまな考えが入りみだれていた。

「ユゲットを、フォン・ロムーへつれてまいってはいけますまいか？」と、バタンクールがたずねた。

「けっこうでしょう……そう……」とアントワーヌはつぶやくように言った。

「もちろん、わたくしも娘のそばで暮らすことにいたしましょう。娘のためによいということでしたら、遠くあろうと、さみしかろうと、そんなことは苦にいたしません。ところで家内でございますが……」アンヌの名を口にするやいなや、すぐに隠しはしたものの、彼の顔には苦しそうな表情が浮かんだ。「ベルクへも、あまりやってまいりませんでした」と、バタンクールは、寛大な微笑をよそおいながら打ちあけた。「なにしろパリが近いので……いつも友だちから招かれたり、自分ではその気でなしに、社交生活の必要から引きとめられたりいたしまして……でも、いっしょにフォン・ロムーで暮らすことになりましたら、パリのこともやがて忘れてくれましょう……」

その目には、よりがもどせそうだといったような夢が浮かんでいた。それでいて、彼自身、明らかにそれを信じてはいないのだった。たしかに彼は、その妻を、最初の日におけるとおなじように、苦しい思いをしながら愛しつづけているにちがいなかった。

「すべて一変するだろうと思います……」と、彼は、わけのわからないつぶやきをもらした。

アントワーヌは、バタンクールにたいするアンヌの批評の表面もっともらしく思われたことの理由が発見できたように思った。それにもかかわらず――そして、この確信は、次第にその明白さを増していき、彼の心の中で動かないものになってきた――彼には、自分の前、安楽椅子に腰かけているその男が、アンヌの話してきかせた男とは根本的にちがっているように思われてきた。不実、利己主義、いじわる。これらすべての非難は、少しでも鼻がきく観察者であるかぎり、こうして当人を前にしての観察なり、直接の接触による明白な直観の結果なりから、五分間と成り立つものではあり得なかった。むしろ逆に、バタンクールの一本気なところ、ありのままの慎ましさ、人のよさなど、彼の片言隻句、そのものごしの無器用さにまではっきりしめされていた。《気の弱い男、たしかにそうだ》と、アントワーヌは思った。《気の小さい男、たしかにそれにちがいなかろう。苦労性な男、あるいはばか……だが、ぜったい不誠実な男ではない……》

バタンクールはしずかに話しつづけていた。彼は、信頼と感激にあふれた人のよさそうな目つきを見せながら、なにしろ重大な決意のことなので、アントワーヌの意見も聞かずに実行しようなどとは夢にも思っていないことを説明していた。何から何まで、アントワーヌにまかせきっているのだった。アントワーヌの力量なり、親切なりを、知りすぎるほど知っているのだった。そして、できることなら、病状を見たうえできめてもらうため、ほんの短い時間でいいから、娘の診察に来てもらえたらとさえ思っているのだった。それにしても、なにしろ目下の事態だし……

アントワーヌは、注意ぶかく相手の言葉に聞き入っていた。彼は、アンヌとの関係を永久に打ち切ろうと決心していたのだった。

それは、はたしてこの数分のあいだにきめられたことというのだろうか？　こうした窮極の決心は、あるいは、すでにずっとまえからの彼の気持ちのうちにきめられていたものではなかったろうか？さらに、こうした切迫した、命令的な、不可抗的な必要のまえに、たちまちなんの文句もなしに服従するということを、はたして決心と呼んでいいものだろうか？……彼にして、すこしでも自分の心を分析してみるだけのゆとりがあったら、最近の幾日、いじになってアンヌからの電話を避けていたこと、またレオンを通じてたえずなされていたあいびきの申し出を逃げていたこと、そこにすでに、アンヌと別れたいという、隠れた無意識な気持ちが動いていたことに気がつかなければならないはずだった。さらに言えば、このことと政局と、そこには表面なんの関係もないようでいながら、しかもいまやヨーロッパがその中で身をもがいている時局的危機なるものが、必ずしもこうした超脱した気持ちと無関係でないことをも認めなければならないはずだった。つまり、アンヌとの情交のごとき、いまやある種の新しい感情にたいして抵抗するだけの力も持たず、世界を震憾させているこうした事件のまえで、それはとうてい問題でなくなってしまったとでもいうようだった。

それはともかくとして、こうした破局の到来を早めたもの、自分でも意識しないうちにそれを決定的、終局的なものにしたところのもの、それはまさに彼の書斎におけるバタンクールの存在にほかならなかった。彼にとって何よりもつらいのは、わが家の中で自分の欺いた男と向かいあっているという事実、なにくわぬ神妙な顔をしてその男から尊敬と信頼とを受けているという事実、この自分からえらいめに合わされていながら、それと知らずに、自分にたいし、安心できる友人として話しかけている男を前にしているという事実だった。彼は、心のうちに、漠然とこんなことを考えていた。《いけない……こんなことをしていてはいけない……人生は、こんなものであるべきではない……自分第一と考えるのもいいだろう。そして自分の楽しみとか、自分の慰みとかを……だが、そうした陰には、ひどいめに合わされる多くの人々、軽々しく踏みにじることの空おそろしく思われる多くの人々の運命が存在している……つまり、おれのような人間、おれのような生活、おれのやっているような行為、そうしたものからこそ、世の中の混乱、虚偽、不正、精神的苦悩が生まれてくるのだ……》

ふしぎにも、彼は、自分自身にたいし、決然《アンヌとの仲も、もうおさらばだ》と心の中で言い放ったしゅんかん、すべてがまるで魔法のように消えてしまった感じがした。そうだ、まるでいままで何ごともなかったかのように思われだしてきたのだった。彼はいま、少しも悪びれることなく、じっとバタンクールの目をみつめ、微笑し、何やかやと激励や注意をあたえることができた。そして、バタンクールが、席を立ち小学生のようにはにかみながら「どうやら十分を過ぎたようですが」と、どもりながら言ったとき、アントワーヌは笑いながら、相手の肩の上に親しみのこもった手をおいた。そして、話しつづけながら階段のところまで送っていった。彼は次の週間、ベルクへ行くことさえ約束してやったのだった。(彼は、ほんのちょっとのあいだ、すべてを、戦争のことさえも忘れてしまっていた……とつぜん、彼はそのことを思いだした。そして、あらゆる通念をくつがえそうとしているこうした危険の切迫こそ、いまの自分に、朗らかな気持ちで、こうしたとっぴょうしもないことを言わせてくれていることに思いいたった。《あと一月で、おれたちはふたりとも死んでいるかもしれないのだ》と、彼は思った。《それを思えば、ほかの事なんかどうでもいいのだ……》

「八時半の汽車にお乗りでしたら、十一時前後にランにおつきになれます。そして、ベルクで昼飯をお召し上がりになれます」と、バタンクールは安心しきって言いそえさえした。

「承知しました、何か突発的なことがおこらないかぎり……」と、アントワーヌは約束した。

バタンクールは、さっと顔色を変え、緊張をしめした。彼はいっしゅんこぶしを口におしあてた。悲痛な悩みで、その目は大きく開かれていた。しゅんかん、アントワーヌは、ユグノー教徒の家に生まれ、伯爵バタンクール大佐の息子であるシモン・ドゥ・バタンクールが、兵役の義務のことを思っておびえていることを見てとった。

「わたくしが動員されましたら、娘はいったいどうなりましょう?」バタンクールはアントワーヌのほうを見ずに言った。「あとには、ミス・メリーしかいないのでして……」そのときふたりは、同時に、そしてほとんどいちように、アンヌのことを思っていた。

バタンクールは、黙ったまま、戸口のところまで歩いて行った。そして、踊り場のところでふり返った。

「あなたの動員は?」

「第一日です。歩兵大隊付軍医……コンピエーニュの五〇四連隊……あなたは?」

「三日めです……軍曹……ヴェルダン軽騎兵第五連隊」

ふたりは、たがいに親しみをこめて手と手を握りあった。アントワーヌは、友情をこめた最後の合図をしてみせてから、しずかに家のドアをしめた。

彼はしばらく、身動きもせず、敷物をみつめながら立っていた。心の中には、痛烈な光景が思い浮かんでいた。それは、軽騎兵軍曹の服をつけたシモン・ドゥ・バタンクールが、その小隊の先頭に立ち、銃火を冒して、アルザスの平野を馳駆している姿だった……

けたたましい電話のベルに、彼ははっとからだを起こした。

《アンヌだ》と、彼は思った。そして、こわばった微笑を顔に浮かべた。彼はとつぜん、電話のところへ飛んでいき、一切合財結末をつけたい気持ちに駆られた。

廊下のはずれで、レオンが受話器を手にしていた。

「承知いたしました……八月七日、火曜日？　承知いたしました……三時に……ジャンテ先生からでございますね？　承知いたしました。そのように控えておきます……」


メモの手帳を繰りながら階段をおりかけていたアントワーヌは、二階の踊り場のところで、聞きおぼえのある声に顔をあげた。彼はドアをあけ、文献室のほうへ歩いて行った。

ステュドレルとロワとが、椅子に腰をかけて何か言い争っていた。ふたりとも、白い上っぱりを着ていなかった。ふたりのまわりには、きょうの新聞が、テーブルの上、椅子の上に散らばっていた。

「ほほう、これで仕事をしているというのかね？」

ステュドレルは、暗い顔をしながら、肩をそびやかして見せた。

ロワは、立ちあがって微笑すると、問いかけるようにじっとアントワーヌの顔をみつめた。

「リュメル氏にお会いでしたか？」

「会った。『パリ・ミディ』の報道はでたらめだよ。政府はそれを否認した。だが、それはそれとして、情勢はますます悪化のいっぽうだ……」そして、ちょっとあいだをおいたあとで、きわめて簡潔につけ加えた。「深淵のまわりを、ぐるぐるまわりをしているのさ……」

ステュドレルは、ふきげんらしくつぶやいた。

「しかも、ドイツは準備をすすめている！……」

「ありがたいことにフランスもさ」と、ロワが言った。

沈黙がつづいた。

「平和のための最後の希望は、労働者階級の手中にある」と、ステュドレルは、嘆息するように言ってのけた。「だが、彼らがそれに気のつくのは万事手おくれになってしまったあとでなんだ……大衆の中には、戦争にたいする一種の恐るべき宿命観が見られている……それもたしかにむりではない。子供たちは、すでに、小学校のころから、まちがった考え方をさせられている——昔の戦争とか、名誉とか、軍旗とか、祖国とかいう教え方で——軍隊の行進とか閲兵式とかにたいする尊敬の気持ちで——それにまた、あの兵役の義務というやつによって……そうしたさまざまの非常識の結果を、思い知らされているというわけなんだ！」

ロワは、せせら笑うようなようすでそれを聞いていた。

アントワーヌは、ふたたびメモをとり出して、たんねんに調べていた。

「では失敬」と、彼は帽子をかぶりながらぶっきらぼうに言った。「とても往診の切りがつかない……ではまた夕方！」

ふたりはあとにのこされた。ロワは、ステュドレルの前に立ちはだかった。

「どっちみちいつかはそうなることなんだ。せめて、目下の状況が、まんざら悪くないことだけは認めてくれたほうがいいな……」

「黙れ、若僧！」

「とんでもない……せめて一度だけでも、先入主なしに考えてもらおう……けっきょくのところ、わが国はかなりいい態勢にある……フランスとしては、まずロシアとドイツのあいだに戦争がはじまってくれるとつごうがいいんだ。そうなれば、ロシアの協同行動が期待できる――そして、わが国としては救援者の立場に立つ。これは、いかなるときでも上々吉の立場なんだ……いっぽうわが国は、じゅうぶんなゆとりをもって――と信じたいな――わが参謀本部のおそれていた例の急襲を受けたりすることなく、落ちついて動員準備ができているというわけなんだ。何から何までわが国のチャンスを高めているんだ……」

ステュドレルは、黙って彼をながめていた。

「さあ！」と、ロワが言った。「きみがすなおな気持ちでいるのだったら、いやでも賛成してくれるはずだが。積年の物言いを解決し、国威をかがやかすにはいまが絶好の機会なんだ！」

「国威だって！」と、ステュドレルは、われを忘れてどなり立てた。

ドアがあいた。そして、ジュスランがはいって来た。

「あいかわらず議論かい？」と、彼は、ぐったりしたようなようすで言った。

（ジュスランは、ブルーズを着ていた。彼にしても、ほかの人々とおなじように、けっして楽観はしていなかった。もう三週間もしたら、いつもの午前をそれにささげてきた研究の結果を見るため、ふたたびここに来ることもないであろうことを知っていた。だが彼は、何事もないように働くことを、自分自身の義務であると思っていた。《仕事をしていれば、物を考えないですみますからな》と、彼はいつぞや、灰色の目の奥で悲しそうに微笑しながらアントワーヌに言った。)

「どこへ行っても、聞かされることときたら愚にもつかないことばかりだ!」と、ステュドレルは、肩をそびやかしながらジュスランに言った。「こっちでは、フランスの名誉のため、と言ってるかと思えば、あっちでは、オーストリアの誇りのため、とくる! ロシアでは、バルカンにおけるロシアの面目を守らなければ、と言ってやがる……全面的の大流血を引きおこすことを考えたら、列強おのおの、自分の少し踏み出しすぎたことをあっさりみとめて、各国民の平和を考えたほうがどれだけ《名誉》かしれやしない!」

ステュドレルは、いつも、国家主義者の面々が、崇高、無私、英雄的行為というようなものを、自分たちの専売のように思っているのを片腹痛く思っていた。そうした彼は、どの党派にも属していなかった。だからといって、いたるところの国々の首都で、好戦的勢力を向こうにまわして熱烈にたたかっている革命的闘士が、誰よりも、人をして真の英雄たらしめる偉大と献身の意義、苦難多い思想のための自己超克の意思、熱烈果敢な精神力の所有者であることを知っていないわけではなかった。

彼は、ジュスランをも、ロワをも見ていなかった。予言者のような彼の目は、きっと一点を見すえて輝いていた。

「国家の名誉!」と、彼はうなるように言った。「良心を眠らせるために、すでにありとあらゆるぎょうさんな言葉が動員されている!……すべての愚かしさを糊塗し、良識が顔をだすのをさまたげなければならないんだから！　名誉！　祖国！　権利！　文明！……ところで、これらひばり釣りの鏡のような言葉のかげに、いったい何がひそんでいると思う？　いわく、工業上の利益、商品市場の競争、政治家と実業家とのなれあい、すべての国の支配階級のあくことを知らぬ欲望だ！　愚だ！　文明を救う？　このうえもない残虐行為によってと言うのか？　このうえもなく低劣な本能をほしいままにしてと言うのか？……権利と正義の大則を守る？　頰かぶりした殺人によって、と言うわけなのか？　われらにたいしてなんの害心も持っていない人々、われらにたいして、おそらくおなじような甘言で銃を取らせられているきのどくな連中にたいして、砲火をあびせかけることによってと言うのか？　愚だ！　愚だ！」

「いいぞ、カリフ！」と、ロワは、さげすむようなちょうしでさけんだ。

「落ちつけ、落ちつけ」と、ジュスランはおだやかに、彼の肩に手をおいて言った。

ジュスランは、彼らの仲間の甘えっ子であるマニュエル・ロワにたいして、アントワーヌとおなじような気持ちを持っていた。ジュスランは、なぜというわけも知らずに、ロワを愛していた。落ちついた勇気のある点、あけっぴろげで人のよさそうな点。ジュスランは、いつも張りきっていて、すぐにも飛びだしかねないロワの中に、ひとつの美しさ——実験室の人であり、絶対探求の人である彼として、無関心でいられないひとつの美しさを認めていた。彼は、ロワの中にある純粋へのあこがれ、戦争によって建て直しを期そうという素朴な信念を尊敬していた——もっとも、それは、いまや血をもってあがなわれようとしていた……

「名誉……」と、ジュスランはつぶやくように言った。「おれは、国家間を対立させている経済的闘争……その中に、それに介入させる必要のない道徳的価値判断を入れたこと自体、大きなあやまちだと思うんだ……それがすべてをあやまらせ、すべてを毒してしまっている。それが、すべての現実的な処理をそこなっている。それがそうあってはならないもの、単に商事会社の競争だけにしかすぎないものを、感情的な、イデオロギー的な、宗教戦争的なものにさせているんだ！」

「カイヨーは、一九一一年に早くもそのことを見抜いていた」と、はげしい語調でステュドレルが言った。「カイヨー亡きいま……」

ロワは、つっかかるようなちょうしで、相手の言葉をさえぎった。

「してみると、カイヨーを、重罪裁判所のかわりに、外務省に迎えたいとでもいうわけかな？……」

「当然。もし彼にして政権についていたら、いまあるような状態にはならなかったはずだ！……彼がいなかったら、こんどの全面的戦争、すなわちきみやきみの友人たちを喜ばせているらしいこのけっこうな事件にしても、いまから三年も早く起こっていて、さだめし諸国の民衆を喜ばせていたことだろう！……彼は、国家的名誉などということを口にしなかった。彼はただ、問題を問題として語っただけだ。彼は、あらゆる人々を向こうにまわして、一に実利的な面、問題である利害関係の面だけを考えていた！……そのおかげで、彼は最悪の場合を、みごとに回避することに成功した！」

ジュスランは、ロワの目の中に悪意のひらめきを見て取った。そしてすぐに言葉をはさんだ。

「そして、その方向でいっていたら、少し腰づよくがんばりさえしたら、たといどんな対立にしたって、外交的折衝、相互の譲歩によって解決されないわけがないんだ。事が利害関係なら、感情問題よりはずっとたやすく折りあいがつく！……おれもまた、カイヨーのような人間がいたら……そうだ、もし戦争になりでもしたら、クレオパトラの鼻に運命をかこつけた歴史家どもは、おなじ筆法で、複雑な紛争の原因として、とくに『フィガロ』社での運命的なピストルの一撃（前述、カイヨー夫人が、夫を誹謗した『フィガロ』主筆カルメットを射殺した事件）を数えあげるにちがいない……」

ロワは、自信たっぷりにからからと笑った。

「そこのところはなんとも言えないな」と、彼は、陽気に言った。「そんなことは、万事後世におまかせするのさ！」

五十八

「みんなといっしょに行こうや」と、ジャックはジェンニーに言った。

クロワサン亭で落ちあったのはおよそ十人ばかりで、これからいっしょに、マックス・バスティヤンが話をすることになっているモンルージュへ行こうというわけだった。

（その晩、パリの――グルネル、ヴォジラール、バティニョル、ラ・ヴィレット――の各区では、社会主義の各支部での小さい集まりが持たれていた。ペルヴィロワーズでは、ヴァイヤン・クーテュリエが話すことになっていた。そして、そこではひと騒ぎもちあがるだろうことが予想されていた。カルティエ・ラタンでは、学生たちによってビリエ会館での集会が催されることになっていた。）

みんなシャトレまで乗合自動車で行き、そこからオルレアン門までは電車に乗った。そして、電車を乗りかえてエグリーズ広場まで行った。そこでは電車を降り、こんどは歩いて、人ごみの町を抜け、まえに劇場だった集会の場所まで行くわけだった。

むし暑い晩だった。場末町の空気は、くさく、にごっていた。町の人たちは、夕食のあとで、することもなしに、不安な気持ちで家の外へ出ていた。大通りには、この場末にかけて夕刊を売りにきている新聞売子の声がひびきわたっていた。

ジェンニーは、こうした古い町の石畳の上をよろめきながら歩いていた。彼女は疲れきっていた。クレープのヴェールの重さ、暑さのため、それから発する染料のにおいに、軽い頭痛をさえおぼえはじめていた。大部分、仕事着姿の人たちのあいだにあって、喪服姿の彼女は、何かしら場ちがいといった気持ちだった。彼女は、思わず、手袋だけを取っていた。

そばを歩いていたジャックには、おなじ歩調で歩く彼女のつらさがわかっていた。といって、腕をかすこともためらわれた。友人に、彼女を同志のように見せかけていたからのことだった。彼は、『ユマニテ』に届いた最近のニュースについてステファニーと話しながら、ときどき励ますような眼差しを彼女のほうへ送っていた。

ステファニーは、労働者の動揺に、彼の楽観説の基礎をおいていた。彼によると、それはますます激化しつつあるということだった。抗議はますますさかんになっていっていた。《社会党》の宣言があり、《社会主義議員団体》の宣言があり、《労働総同盟》の宣言があり、《セーヌ県連合会》の宣言があり、また《自由思想家連盟事務局》の宣言があった。

「いたるところで動いている。いたるところでデモが行なわれている！」と、彼は言っていた。そして、黒々とした目を、希望の色にかがやかしていた。

彼は、ウェストファリアから帰ってきて、クロワサン亭で食事をしていたひとりのアイルランドの社会主義者の口から、ちょうどその晩、エッセンで、すなわち、ドイツ鉄工業の中心地クルップ兵器工場の所在地で、盛大な平和デモの運動が行なわれるはずになっていることを聞かされた。アイルランド人は、さらに言葉をつづけて、きわめて多くの労働者が、帝国主義政府の好戦的意図の追求をさまたげるため、サボタージュに賛成したことを話して聞かせた。

だが、この日の午後、重大な警報が伝えられていた。編集室には、ドイツからの不安なうわさがひろまっていた。カイゼルは、サゾノフにたいし、最後通牒的なちょうしで、ロシアにおける動員の説明を求めさせ、動員が、部分的なものではあっても、いまさらそれを中止させることはできないという回答を受けとるや、たちまち動員発令の準備を命じたということだった。それからの二時間、すべてはまったく絶望のように思われた。ところが、やがて、ドイツ大使からの否認があった。そして、それがきわめて端的なちょうしでなされたことから、ドイツにおける動員のニュースが、やはり虚報だったというふうに考えられた。それは、ベルリンの『ロカール・アンツァイゲル』紙によって伝えられたものだということもわかった。つまり、『パリ・ミディ』紙の虚報にたいする国境のかなたからの回答といったようなものだった。こうした引きつづく興奮は、人々の考えを危険な熱病状態におし進めていた。ジョーレスは、なによりもまず、こうしたパニック状態のもたらす悪結果についておそれていた。そして、おのおの団体、おのおの家庭にあってなすべきことは、ともすれば人々に正当防衛の錯覚をいだかせ、平和の敵に乗ずるすきをあたえかねない、そうしたあいまいな恐怖と戦うにあることを説いていた。

「帰ってきてから会ったかね？」と、ジャックがたずねた。

「会ったとも。いままで二時間ばかり、いっしょに仕事をしてきたんだ」

ジョーレスは、ベルギーから帰ってくるなり、ブリュッセルでの対決の結果を社会主義議員団へ報告にさえ行かないうち、すぐに片腕である連中を集めて、八月九日パリで開かれることになっている万国社会主義会議の準備にとりかかっていた。ヨーロッパ社会主義のこの重要な会議を成功させるためには、わずか十日の時日しかなかった。一時間たりともむだにすることをゆるされなかった。

彼の姿が『ユマニテ』社にあらわれたとき、そこはたちまちにして活気づいた。彼は、ドイツ社会主義者たちのしっかりした態度に力づけられ、彼らのあたえた約束に信をおき、闘争をさらに盛んに展開させようという新しい興奮に燃えて帰ってきた。政府の、ヴァグラム会館問題における態度に憤激した彼は、たちまち権力と抗争する腹をきめていた。そして、次の日曜日八月二日、盛大な反戦大会を開いて、平和擁護の闘士たちのため、はなばなしい報復準備をやる決心をしていた。

「元気を出すんだ」ジャックは、ジェンニーの腕にさわってやりながら言った。「あそこだ」

ジェンニーには、ひとつの建物のポーチの下に、待機している警官の一隊が目にはいった。青年たちは『バタイユ・サンディカリスト』『リベルテール』などを売っていた。

みんなは、行きどまりになった通りの中へはいって行った。そこには幾人かの人々が立っていて、劇場の中へははいらず、あちらこちらに集まって話していた。それでいて、会はすでに始められていた。そして、会場は満員の盛況だった。

「バスティヤンの話を聞きにきたのか？」と、おりから出て来た闘士のひとりがジャックに言った。「連盟のほうで引きとめられて、どうやらやってはこないらしいぜ」

ジャックはがっかりして、あわやそのままわれ右をしようとした。だが、ジェンニーを見ると、とてもすぐには歩けそうになかった。ジャックは、ほかの友だちをほったらかして、空席をふたつ見つけ、ジェンニーを、前の列のほうへ押しやった。

支部の書記長ルフォールという男が、舞台の上、庭園用の鉄のテーブルを前にして腰かけていた。舞台の鼻づらに立っている弁士は、町の町会議員をしている男だった。彼は、幾度となく、戦争などはアクロニスム（時代錯誤。アナクロニスムを誤って発音したもの）であるとくり返していた。

みんなは、それに耳をかしていないらしく、隣の人たちと話しあっていた。

「静粛!」と、おりおり議長が、鉄のテーブルを手のひらでたたいて、金切り声でさけんでいた。

「いろいろな人の顔を近くで見るといい」と、低い声でジャックが言った。「革命家っていうやつは、だいたいその顔だちによって分類することができるんだ。革命をあごに持っているやつ、革命を目の中に持っているやつ……」

《そういうこの人はどうなんだろう?》と、ジェンニーは思った。彼女はまわりの人々をながめるかわりに、ジャックの顔、突き出た意思の強そうなあご、動いてやまぬ、そしてちょっと冷たいところがあり、精力的に輝いている彼の目をみつめていた。

「何か発言なさる?」ジェンニーは、臆病らしく、つぶやくように言ってみた。彼女は、みちみちそのことを考えていた。ジャックをもっとたのもしい人だと思うことができるため、何か話してくれるといいなと思っていた。だが、一種のきまりわるさの気持ちから、それをおそれてもいたのだった。

「そんな気持ちはないね」と、ジャックは、彼女の腕の下へ手をすべりこませながら言った。「おおぜいの前では、どうもうまくしゃべれないんだ。ときどき話さなければならないこともあったが、どうも言葉にひっぱられる感じ、言葉によって細かい感じをこわされてしまい、ほんとに思っていることが裏切られてしまうといった感じで、堅くなっちまってね……」

ジェンニーにとっては、こうしてジャックが、自分のために気持ちを打ちあけてくれることほどうれしいことはなかった。それでいながら、彼が自分自身について語っているところは、だいたい彼女にもわかっていたといった感じだった。ジャックが話しているあいだ、彼女は着物を透して、自分のひじをささえているその手の熱さを感じていた。そして、それにすっかり心を奪われて、ただ、自分の肉にしみとおる、たまらない熱さのことしか考えていなかった。

「わかるだろう?」と、ジャックは言葉をつづけた。「ぼくには、いつもなにか嘘をついているといった感じ、自分の思っていること以上を言っているという感じがするんだ……それがなんともがまんできない感じなんだ……」

まさにそれにちがいなかった。だが同時に、話すことに何か目まいがするような陶酔感が感じられ、聴衆と自分とのあいだに、ほとんどいつも、なにかしら意思の交換、思想の共感といったようなものを感じることができたのも事実だった。

演壇では、別の闘士、首筋の充血したふとっちょの男が町会議員に代わっていた。低いバスの声が、最初の数語から早くも注意を引きつけていた。そして、聴衆に向かって断固たるちょうしの名文句を連発していた。だが、そこには、なんら思想の脈絡がなかった。

「いまや権力は、国民大衆を搾取するものの手に落ちている!……一般選挙のごとき、それはなんともけしからん代物だ!……労働者は、工業的封建制度の奴隷である!……資本家たる軍需品製造業者の政策は、ヨーロッパのゆか下に、一触即発の火薬の樽を仕掛けている!……民衆諸君よ、諸君は、クルーゾー(フランスの有名な軍需工場)の専務たちにその配当を確保してやるため、命をおとして悔いなきつもりか?……」

そうした短い、息切れしたような断定のひとつひとつは、物すごい拍手によって機械的に句切られていた。そして、男もまたどんとテーブルをたたいて、さらにそれをけしかけていた。男は、喝采される習慣を持っていたのだった。ひとつひとつの言葉の終わりで、彼はそれを待つために、はっきり言葉を切った。そして一瞬、まるで咽喉に黄金虫が飛びこみでもしたように、口をぱっくりあけていた。

ジャックは、ジェンニーに身をよせてこう言った。

「愚劣きわまる……あんなことを言うべきではないんだ……聴衆にたいして、彼らが多数であり、力であることをわからせてやらなければ！　彼らは、ただぼんやりそのことを知っている。だが、そのことを感じてはいないんだ！　彼らには、そのことを直接な、決定的な経験によって知ることが必要なんだ。そのためにも、今度という今度、プロレタリアが勝利をしめることがたいせつだ！　彼らが、事実として、自分だけの力によって、侵略政策をがっちりふせぎとめ、各国政府をしてたじろがせることができると知ったとき、その時こそ彼らは真に自分自身の力を知り、そのときこそ、どんなことでもやってできないことのないのを自覚するんだ！　そして、そのときこそ……！」

だが、聴衆は、その男の支離滅裂な言葉に退屈しはじめていた。劇場の片すみでは、仲間同士の議論が高まって、それがけんかにさえなっていた。

「静粛！」と、書記長のルフォールがどなっていた。「中央委員会の指令ですぞ……党の統制の問題ですぞ……諸君、静粛に……」

彼は明らかに、警察の干渉を招くような混乱の引きおこされるのをおそれていた。そして、なんとかして、騒擾なしに集まりを終わらせたいということだけをねがっていた。

その晩の最後の演説者として予定された三人めの弁士が舞台に立ったとき、しばらく静粛が保たれた。レヴィ・マスとよばれるラカナル高等中学校の史学教授で、社会主義的著述と、大学といざこざをおこしたことで知られていた。彼は、その題目として、一八七〇年（普仏戦争勃発の年）以後における独仏関係を語ることにしていた。彼は、博学の大風呂敷をひろげながら、問題を説明した。そして、《講義》のはじめから二十五分たっても、まだやっとサラエヴォの暗殺事件までこぎつけたにすぎなかった。彼は、低い咽喉（のど）ぶとの声で、《勇ましい、渺（びょう）たるセルビア》のことを語った。そして、その声のおかげで、とがった鼻眼鏡がふるえていた。やがて彼は、同盟国家群相互、独墺条約、露仏条約相互のあいだの比較に移った。

聴衆は、たまりかねて大きく動揺をはじめていた。

「たくさんだ！　早く事実問題にうつれ！」

「実行方法はどうなんだ！」

「どうすればいいんだ？　どうして戦争をふせぐんだ？」

「静粛！」と、ルフォールは、ますます不安になりながらくりかえした。

「しゃくだな！」と、ジャックはジェンニーの耳もとでつぶやいた。「彼らのすべては、単純明快な、実際的な指令をうけたがってきているんだ。それなのに、ただ彼らの頭に外交史をつめこんでやり、そんなことはむずかしい、とてもわかりっこない、それならそれで、むしろ不可避な事実の到来を待つよりほかにみちがない、といったような印象を持たせようとしているんだ！」

弁士妨害の声がわき立っていた。

「事態はいったいどうなるんだ？　これからいったいどうなるんだ？」

「ほんとうのことが知りたいんだ！」

「そうだ、ほんとうのことを！」

「諸君、ほんとうのことをと言われるのか？」と、レヴィ・マスは、敢然としてあらしに向かってさけんだ。「ほんとうのこと、それはわがフランスが平和的国家であり、この二週間、フランスはまさに堂々とその事実を証明し、あらゆる帝国主義的国家を忸怩（じくじ）たらしめている、ということなのだ！　内政においてこそとかくの非難があるにせよ、わが政府は、いまやきわめて困難な任務を負わされている！　社会党のなすべきことは、政府をしてその任務を困難ならしめないことにあるのだ！　もちろん吾人は、ブルジョワどもが綱領としている国家主義的美辞麗句をそのまま受け取ってはならない！　しかし――そして、このことは、声を高くして言わなければならない。すべての人々の前にさけばずにはいられない――フランス人たるかぎり、誰ひとり、いまやふたたび外国から侵入を受けようとしているこの際、祖国を守ることを回避しようとは思わないだろう！」

ジャックは、怒りに耐えられなくなっていた。

「あれを聞いたか？」と、彼はふたたびジェンニーのほうへ身をよせて言った。「国民を戦争にかり立てるには絶好の言葉だ！……これにつづいて、ドイツから攻撃の切迫していることを説きさえしたら、国民はどんなことでも承知しよう！」

ジェンニーは、青い目をあげて彼を見た。

「お話しになったら？　あなたが！」

それには答えず、ジャックは、じっと弁士のほうをみつめていた。彼は、身辺に、不満の声のますます高まっていくのを感じていた。とりわけ彼は、どうしたらいいか迷っている群集の中に、底にかくれた、高邁な、革命的行動に打ってつけの情熱——それを利用せずにはいられない情熱をみとめていた。

「よし！」と、いきなりジャックがさけんだ。

そしてとつぜん、発言を求めようとして手をあげた。

議長は、一瞬ジャックをみつめた。そして、わざと目をそらしてしまった。

ジャックは、いそいで紙に名を書いた。だが、誰もそれをルフォールのところへ届けに行ってくれるものがいなかった。

ますます高まっていく騒ぎの中で、レヴィ・マスの演説は終わろうとしていた。

「さよう、事態にはきわめて微妙なものがある！　だが、政府にして、危険に瀕している平和を厳としてささえるため、国民の支持を得ることができたとしたら、事態はけっして絶望とは言えないのだ！　かの大ジョーレスの文章を読みかえしてみるがよろしい！　国境のかなたにあって不敵にもわれらにたいして戦いをいどむやからは、よろしくわが国の政治家、外交官の背後に、声を一にして権利の擁護をさけぶ社会主義的フランスの存在していることを考えなければならない！」

男は鼻眼鏡の位置を直してから、議長となにか目くばせをした。そして、あとをも見ずに楽屋の中に姿を消した。彼と個人的な知りあいである友人たちの拍手が聞こえた。だが、それもたちまちがやがやした抗議の声、小心者たちの口笛のひびきに消されてしまった。

ルフォールは立ちあがっていた。そして、静粛をとりもどすため、何か大げさな身ぶりをした。聴衆は、彼が何か言いだすかと思ってちょっとのあいだ鳴りを静めた。彼は、その機を逸せずにこうさけんだ。

「諸君、これをもって閉会といたします！」

「反対！」と、ジャックが、自分の席からどなった。

だが、聴衆はすでに舞台のほうへ背を向け、路地のほうへ向かった三つの出口に殺到していた。バネ椅子のきしむ音、どなったり言い争ったりする声のやかましさで、声はとてもとおらなかった。

ジャックはわれを忘れていた。正確な情報を求めているこれらのよき意思の人々、それが、インターナショナルがはたして自分たちに何を求めているかも教えられず、こうした混乱のうちに会場を立ち去って行くということ、それはなんとしてもゆるされなかった。

ジャックは、人波をかきわけながらオーケストラ・ボックスまでたどりついた。演壇は、この暗い穴によって聴衆席からへだてられ、とてもそこまでは行けなかった。ジャックは怒りに燃え立っていた。

「発言あり！」

彼は、オーケストラ・ボックスにそって舞台の最前列まで行き、ひらりと身をおどらせて桟敷に飛びこむと、そこから廊下づたいに楽屋口を見つけ、人々を押しのけながら、やっと舞台へ出ることができた。舞台には、もう誰の姿も見えなかった。彼は、そのままどなりつづけた。

「発言あり！」

だが、その声は、ざわめきにのまれて聞こえなかった。目の前にはすでに四分の三ほどからになった劇場が、ほこりっぽい、大きな深淵の口をあけていた。ジャックは、テーブルに走りよると、けたたましく、まるでどらでもたたくように両のこぶしでたたき出した。

「同志諸君！　発言あり！」

まだ中に残っていた人々——おそらく五十人ばかりの人々——が舞台のほうをふりかえった。

幾人かがさけんだ。

「謹聴！……静粛！……謹聴！……」

ジャックは、まるで警鐘を鳴らすとでもいったようにテーブルを乱打しつづけた。顔は蒼白になり、髪は振りみだされていた。彼の目は、せわしく、室のはしばしを見まわした。彼は、胸いっぱいの声でほえ立てた。

「戦争だぞ！　戦争だぞ！」

たちまち、なかば静粛が立ちかえった。

「戦争だ！　戦争は、われらの目前にせまっているんだ！　二十四時間のうちに、戦争はヨーロッパの上に落ちかかろうとしているんだ！……諸君は事実を知りたいのか？　これが事実だ！　一月を待たずに、今夜ここに集まった諸君のすべては、みんな殺されるかもしれないのだ！……」

彼は、狂おしい手つきで、目の上に落ちかかる髪をかきあげた。

「戦争！　諸君は戦争を望まないというのか？　だが、彼らは戦争を望んでいるのだ！　そして、いやおうなしに諸君に戦争をさせようとしている！　諸君は、その犠牲者になろうとしている！　だが、諸君にも同時に罪があるのだ！　なぜか？　戦争は、諸君だけがよくこれをやめさせることができるからだ！……諸君はぼくをながめているか？　諸君はみんな《それならいったいどうすればいいんだ？》と思っているのか？　そうだ、そのためにこそ、諸君は今夜ここにやって来た……そこで、ぼくは諸君にそれを語ろうと思う！　なすべきことがあるからなんだ！　救われる道があるからなんだ！　それは、ただひとつ！　抵抗のために団結するのだ！　ぜったい戦争を拒絶するのだ！」

ずっと落ちつきができ、ふしぎなほど興奮をおさえることのできたジャックは、声をはげまし、聴衆に理解させるため、一語一語をはっきり区切って、ちょっと間をおいてから言葉をつづけた。

「諸君は聞かされている。《戦争をさせるものは資本主義だ、国家主義の競争だ、金の力だ、軍需工業家だ》と。それらすべて、もちろんそれにはちがいない。だが諸君、考えてみたまえ、戦争ははたしていかなるものか？　それは単に利害関係の衝突なのか？　残念ながらそうではない！　戦争とは、まさに人間であり、また人間の流す血潮なのだ！　戦争とは、動員され、たがいに戦いあう国民なのだ！　国民にして動員をこばみ、国民にして戦うことを拒否するとき、あらゆる責任ある大臣たちは、銀行家は、企業家は、軍需工業家は、戦争を引きおこすことができないのだ！　大砲も小銃も、打つ人なしには打てないのだ！　戦争には兵士がいる！　そして、資本主義が、こうした利益と死との事業のために必要とする兵士、それこそわれわれらにほかならないのだ！　いかなる法律の力も、いかなる動員令も、われらなしには、われらの承認なくしては、われらの受入れ態勢なくしてはあり得ないのだ！　すなわち、われらの運命は、われらのうえにだけかかっているのだ！　われらこそ、われらの運命を自由にできる。われらは多数であり、われらは力であるからなのだ！」

とつぜんすべてがよろめいた感じ。急に頭がくらくらしてきた感じ……ジャックには、ちらりと自分自身のことが思い浮かんだ。自分の言ったのは、はたして正しいことであったろうか。自分には、はたして事実をつかんでいるという自信があったろうか？……一瞬、不安を感じた彼は、力が抜けたような感じだった。

そのとき、劇場の奥のほうに、ひとつの動きが見られはじめた。帰りおくれた人たちが、外へ出るのをやめ、鉄くずが磁石に引きよせられるように、ふたたび静かに舞台のほうへ歩みよって来たのだった。ジャックの不安は、たちまちにして影をひそめ、なんの痕跡もとどめないで消えてしまった。そしてふたたび、自分の思っていること、いま自分にたいして無言の問いかけをしているこれらの人人に言うべきことが、明白な、なんら異議のあり得ないことのように感じられた。

ジャックは一歩前へ踏みだし、舞台からのぞきこむようにしてこうさけんだ。

「新聞を信じるな！　新聞は嘘だ！」

「ひやひや」とさけぶ声が聞こえた。

「新聞は、すべて国家主義者に買われている。自分たちの野望をごまかすため、あらゆる政府は、虚偽の報道のために新聞を必要としている。それらは、あらゆる国民に向かって、彼らのたがいに殺しあうことがとりもなおさず大義名分のため、祖国を守る聖戦のため、権利、正義、自由、文明の勝利のため、雄々しくもみずからをささげることにほかならないと説いている！……まるで、正しい戦争というものがありでもするような口ぶりなのだ！　まるで何百万という無辜の民を、虐殺へ、死へと追いやることが正しいことででもあるかのようだ！」

「ひやひや！」

路地へ向かった奥のほうの三つの戸口は、やじ馬たちでいっぱいだった。そして彼らは、外にいる連中から知らず知らず押されて、とうとう中へはいって来ると、平土間の席についてしまった。

「静粛！　謹聴！」と、ささやくような声が聞こえた。

「諸君はこれ以上ゆるせるのか？　いまや自分で準備した事態の急におどろいた幾人かの悪党が、何百万というヨーロッパの平和の民を、戦場に投げこもうとしているのだ！……戦争への意思、それは断じて国民の意思ではない！　それはもっぱら政府の意思だ！　国民の敵は、彼らを搾取してのける者以外にあり得ない！　国民相互は、けっして敵ではあり得ないのだ！　ドイツの労働者の誰ひとり、進んで銃を取り、フランスの労働者を撃ち殺すため、妻をすて、子をすて、職業をすてようなどとは思っていない！」

同感のつぶやきが、聴衆全部のあいだを流れた。

ジェンニーはふり返ってみた。いま聴衆の数は二百、三百、あるいはそれ以上をかぞえて、いちように緊張した面もちで聞き入っていた。

ジャックは、聴衆のほうをのぞきこんでいた。動いてやまぬ、無言の群集。だが、それは、まるでこん虫の巣といったようなささやぎを立てていた。はっきり誰と見わけることのできないこれらの顔から、何か呼びかけといったようなものが発していて、それがジャックに、思いがけない、おどろくほどの信頼をしめしていた。それと同時に、彼の確信と希望は、さらに十倍ものはげしさを加えた。彼はちらと《ジェンニーが聞いている》と思った。彼は深く息を吸いこみ、さらに勢いこんで言葉をつづけた。

「われらは、犠牲者として引きだされるのを、拱手(こうしゅ)して、おろかにも待っていていいのだろうか？ 各国政府の平和的抗議に信頼していていいのだろうか？ このヨーロッパを、いまそのあがいている八幡(やわた)の藪にたたきこんだものはいったい誰だ？ われらを破滅の一歩手前まで追いこんだのとおなじ政府当局者、外務大臣、元首どもが、はたして外交的商議により、彼らが破廉恥にも蹂躪してのけた平和を救ってくれると考えるほど、われらはおめでたい人間だろうか？ いな！ いまや平和は、もはや政府どもの手によっては救われない！ いまや平和は、各国民衆の手中にある！ われら自身の手中にあるのだ！」

ジャックは、またもや拍手のあらしによってさまたげられた。彼はひたいの汗をぬぐい、息を切らして駆けつけてきた男とでもいったように、しばらくのあいだあえいでいた。彼にはいま、みずからの力についての自覚が生まれていた。自分の言葉のひとつひとつがはげしく人々の頭にしみこみ、ちょうど火薬庫を破裂させる爆破信管といったように、その一撃ごとに、ただこの一撃を待っていた反抗的思想の火薬庫を爆発させてでもいるようだった。

ジャックは、いらだった身ぶりで、静粛をもとめた。

「諸君は、《何をなすべきか？》と、言うだろう。そうだ。《されるままになっていてはいけない》のだ！……」

「ひやひや！」

「ひとりひとりがばらばらでは、何ひとつできるものではない。だが、みんながひとつに団結するとき、堅くひとつに結びつくとき、何ひとつやってできないことはないのだ！……われわれははっきり知らなければならない。一国の生活、その均勢を土台として国家の安定が打ち立てられるところのもの、それはすべて、労働する者の手中にある。国民は、全能の武器を持っている。向かうところ敵なき武器！　そして、その武器とは、とりもなおさずストライキだ！　ゼネストだ！」

ちょうどこのとき、室の奥から大きな声がこうさけんだ。

「ドイツのやつらに利用させ、おどりかからせようっていう腹なんだな！」

ジャックは、ぐっとからだを緊張させた。そして、そう言った男を目でさがした。

「ちがう！　ドイツの労働者もわれらとともに歩いてくれる！　おれにはちゃんとわかっているのだ！　おれはベルリンから帰って来た！　おれは見た！　おれはウンター・デン・リンデンでのデモを見た！　カイゼルの窓の下での、平和のさけびもこの耳で聞いた！　ドイツの労働者には、われらとおなじく、ともにゼネスト決行の準備がある！　それをやらせずにいるものは、ロシアにたいする恐怖の気持ちだ。その責任はどこにある？　すなわち、われらだ、われらの指導者、そして、あの愚劣きわまるロシア帝国主義と同盟を結んだことにある。それこそ、ロシアにたいするドイツの恐怖をそそり立てたものなんだ。だが諸君、考えてほしい。どうしたらドイツ国民の安全をもっともよく保証してやれるか——すなわちどうしたらロシアを戦争にかり立てずにおけるか？　それは、一に諸君にかかっているのだ！　われらフランス人が、戦争を拒否するということにかかっているのだ！　われらフランス人のストライキの決意によって、そこに一石二鳥の結果が得られる。すなわち、いっぽうでは、ロシア帝国主義の戦争意思を麻痺させることができ、他方では独仏労働者の交歓をさまたげるあらゆる障害をのぞくことができるのだ！　ゼネストを通じての交歓なのだ！　ゼネストを、同時に、両国政府にぶつけてやるのだ！」

そのとき、わき立った聴衆は拍手を送ろうとした。だが、ジャックはそのすきをあたえなかった。

「つまり、われらを救うものはゼネストをおいてほかにない！　思え！　われらの指導者によってあたえられるかんたんな命令一下、おなじ日に、おなじ時に、たちまち国家の生活は停止する！……ストライキの命令一下、工場も商店も、官庁会社にいたるまで、すべて一瞬にしてがらあきになるんだ！　往来では罷業者の監視隊が都市の食糧補給路を遮断する！　パンも、肉も、牛乳も、すべてスト委員会の手で割り当てられる！　水道も、ガスも、電気もとまる！　汽車も、バスも、タクシーもとまる！　郵便もなければ新聞もない！　電話もだめなら、電信もだめだ！　社会の全機能のとつぜんの停止だ！　町の中には、不安におびえた人々がさまよう。暴動もなければ、混乱もない。沈黙と恐怖が見られるばかりだ！……これにたいして政府になんの手が打てるか？　その警察力と幾千人かの義勇隊とで、どうしてこの攻勢に抵抗できるか？　早急の食糧貯蔵がどうしてできる？　民衆への食糧分配がどうしてできよう？　憲兵や軍隊さえ養うことのできない政府、そうした政府が、さらに国家主義的政策を支持する人々の恐怖によって見舞われた場合、退陣以外に方法があるか？　何日間……いな、何日間とは言わない、何時間かだ……こうした封鎖、国民生活の全面的停止にたいし、どうして政府が戦っていけるか？　こうした集団意思の表明を向こうにまわし、戦争突発を考え得る政治家がいるだろうか？　みずからに反抗している民衆に向かって、小銃、弾薬を配給するような危険をおかす政府があるだろうか！」

はげしい拍手の音は、いま彼のひと言ごとにわきおこっていた。彼は、全身の力をあつめて、その騒がしさをおさえようとした。ジェンニーは、そうした努力の結果、彼の顔がまっかになり、あごが震え、首の筋肉と血管とのふくれあがっているのを見た。

「いまやまさに重大危機にのぞんでいる。だが、すべてはいまなおわれらの手にある！　われらの武器は、おそらくそれを用いる必要がないと思われるほどに強力なのだ。ゼネストの威力は——政府にして、労働大衆が真に一致団結してこの方法に出るだろうということを考えるとき――われらを地獄にみちびくはずのその政策の方向を、たちまち変えずにはいられなくなるだろう！……しかりとすれば諸君、われら何をなすべきか？　事はかんたんであり、明瞭だ！　目的はただひとつ、平和にある！　あらゆる党派的ないさかいを踏みこえての団結なのだ！　抵抗の線にそっての団結なのだ！　拒否の線にそっての団結なのだ！　インターナショナルの指導者たちを中心に団結するのだ！　そして、彼らにせまり、全力をつくしてゼネストを組織させ、プロレタリアの大攻勢を準備させよう！　わが国の運命、ヨーロッパの運命、ともにこのことにかかっている！」

ジャックはぴたりと語るのをやめた。話そうと思っていたすべてのことが、とつぜん語りつくされた感じだった。

ジェンニーは、むさぼるような目つきで彼をみつめていた。彼女は、ジャックが、まばたきをし、ちょっとためらってから目をあげ、手を振っているのを見た。唇は、疲れたような微笑にひきつけられていた。そして、酔ってでもいるようにくるりとうしろを向いたと思うと、二本の飾りかまちのあいだに姿を消した。

群集はほえ立てていた。

「ひやひや！……そのとおりだ！……戦争反対！……ストライキだ！　平和万歳！……」

喝采は、しばらくのあいだつづいていた。聴衆は、彼を呼びもどそうと、立ちあがり、手を打ち鳴らし、わめき立てながらじっとその場を動かなかった。

そして、彼の姿がふたたびあらわれないのを見てとると、群集は、ざわめきながら出口のほうへ殺到した。

ジャックは、舞台裏の薄暗いところにへたばってしまっていた。古い大道具をつみ重ねたうしろの箱に腰をおろし、汗みどろになり、熱っぽい、ぐったり疲れきったジャックは、髪をふりみだし、ひざの上にひじを立て、こぶしを両眼にあてながら、こうした難破状態の中にあって、できるだけひとりでいたい、誰にもかまわれずにいたい、人目から隠れていたいとばかり思っていた。

そうした彼を、ジェンニーは、ステファニーに案内されてしばらくさがしまわったすえ、ようやくのことでさがしあてた。

ジャックは顔をあげた。そして、とつぜんほっと安心したようすで、前に立っているジェンニーへ微笑してみせた。ジェンニーはひと言も言わずにじっと彼を見すえていた。

「さ、出かけよう」と、ふたりのうしろでステファニーがつぶやくように言った。

ジャックは立ちあがった。

がらんとした会場は、やみの中に沈んでいた。ほうぼうの戸口は外からしめられていた。だが、舞台のいっぽうのすみに夜どおしつけられている電灯のおかげで、三人は廊下のほうへ出ることができた。廊下は、劇場裏手の通用口へ通じていた。三人は地下室の石炭置場の横を通って、板やきゃたつが所せましとばかりにおかれている小庭に出た。その庭は、人っ子ひとり見えないせまい往来へと通じていた。

だが、三人がそこへ出たとたん、ふたりの男がやみの中から姿をあらわした。

「警察の者だが！」と、その中のひとりが、手品師とでもいったような身ぶりでポケットから手帳を出し、それをステファニーに突きつけた。「身分証明書を見せてもらおう！」

ステファニーは、その男のほうへ記者手帳をさし出した。

「新聞記者か？」

警官は、気のないようすで手帳を一瞥した。さがしていたのは、さっき演説をした男だった。

ジャックは、きょう一日ジェンニーと歩きまわりながら、おりよくムールランのところによって紙入れを持ってきていた。だが、不注意にも、ズボンのポケットには、ドイツ国境を通るときに使ったジュネーヴの学生の身分証明書がはいっていた。《身体検査をやられでもしたら……》と、彼は思った。

だが、警官には、それをするだけの熱意がなかった。そして、街灯の灯(ひ)かげでジャックの旅行免状をしらべ、職業的な一瞥で、識別用の写真と見くらべてみただけだった。それから、幾度か鉛筆をなめながら、手帳に心おぼえを書きこんだ。

「住所は？」

「ジュネーヴ」

「パリでの住所は？」

ジャックは、ふたたびためらった。彼は、ムールランから、自分が旅に出るまえに泊まり、ぜったい安全を保証してもらえていたジュール町の家が、いまはもうあいていないということを聞かされていた。新しい宿はまださがしていなかった。今夜はさしあたり、トゥルネル河岸の角、ベルナルダン町の部屋に泊まろうと思っていた。で、そこの番地を言うことにした。警官は、それを手帳に書きとめた。

つづいて警察は、ジャックのそばにいるジェンニーのほうを向き直った。彼女は名刺だけしか持たなかった。それに、偶然ハンドバッグの中には、ダニエルからの封筒がはいっていた。警官は、べつにうるさいことも言わなかった。そして、彼女の名を手帳に書きとめようともしなかった。

「失礼しました」と、警官はていねいにあいさつした。そして帽子のふちに手をかけてから、つれの男と歩み去った。

「社会、みずから身を守る、か」と、ステファニーがあざわらうように言った。

ジャックは、微笑していた。

「いよいよおれも注意人物か……」

ジェンニーは、彼の腕をつかんで、しがみついていた。彼女の顔はゆがんでいた。

「あなたになにをしようっていうのかしら？」そう言う彼女の声はうわずっていた。

「たいしたことはないさ！」

ステファニーは笑いだした。

「どうしたこともありようがないさ。おれたち、ちゃんと法にかなっているんだから」

「ただちょっと困るのは」と、ジャックが言った。「リエバール・ホテルの番地を教えちまったことなんだ」

「なあに、あしたどこかへ移ればいい」

暑い夜だった。路地からは、むっとするような臭気がにおっていた。ジェンニーは、ジャックにぴったり身をよせていた。彼女は、胸のわくわくしてくるのをおさえることができなかった。そして、でこぼこの石だたみの上でよろけ、くるぶしをねじらせ、ジャックが腕をかしていてくれなかったら、あやうくころぶところだった。彼女はちょっと立ちどまった。そして、そばにあった物置小屋の壁にもたれかかった。足が痛んでならなかった。

「ジャック……」と、彼女はつぶやいた。「わたし、とても疲れたわ……」

「ぼくにもたれていたらいい」

ジャックは、そのぐったりした姿を見るにつけ、さらにいとしい気持ちになった。

路地から大通りへ出ると、騒がしい群集も、いまはようやく散っていた。

「ふたりとも、このベンチにかけたがいい」と、ステファニーが命令するような口調で言った。「終電車をのがすとこまるから、おれはさきへ駆けて行く。そして、市役所の前にタクシーのたまりがあるから、一台迎えによこしてやろう」

三分ばかりして、自動車が人道のはしにとまったとき、ジェンニーは、自分の弱っていることをふがいなく思った。

「ほんとにわたしばかだわ。電車まで歩いて行けるはずなのに……」人の世話にならないことをいつもじまんにしていた彼女は、こうしていま、自分がジャックの重荷になっていることをわれとわが心に腹だたしく思った。

だが、いったん車の中に身をおいたとき、ジェンニーは、しっかりだいてもらおうとして、帽子やヴェールをかなぐりすてた。彼女の頬は、熱い、高鳴る、男の胸を感じた。ジェンニーは、頭をじっとそのままにし、手をあげると、ジャックの顔を手さぐりで求めた。ジャックは微笑した。ジェンニーは、口のところへさわってみてそれとわかった。彼女は、ただ彼のいてくれることをたしかめたかったただけといったように、手をひっこめた。そして、ふたたび彼の胸の上に身をちぢめた。

車が速力をゆるめた。《もう着いたのかしら?》と、ジェンニーは、残り惜しそうに思った。だが、ちがっていた。まだ着いてはいなかった。オルレアン門と市税関が目にはいった。

ジェンニーは、つぶやくように言った。

「今夜はどこにお泊まり?」

「リエバールのところさ。なぜ?」

ジェンニーは何か言おうとして、そのまま口をつぐんでしまった。ジャックは、彼女の上へうつむきこんでいた。ジェンニーは目をとじた。ジャックは、唇を、とざされている彼女のまぶたの上に長いこと押しあてていた。そして彼女の耳には、《かわいい……かわいいジェンニー……》と、はっきり聞きとれないような言葉が鳴りひびいた。ジェンニーは、彼のあたたかい唇が自分の頬にそってすべり、小鼻のあたりをかすめ、自分の唇にとどいたのを感じた。唇は、思わずけいれんした。だがジャックは、それ以上どうしようともせずに顔をあげた。そして、だきしめた腕に力をこめて、さらにはげしく熱情的に彼女をだいた。それにたいして、こんどは彼女が唇をささげた。だが、ジャックはそれに気がつかなかった。彼はすでに身を起こしていた。そして身をふりほどくとドアをあけた。そのときはじめて、ジェンニーは、車のとまっていたのに気がついた。いつとまったのだろう? ジェンニーには、その家の正面と、その戸口とが目にはいった。

ジャックは、ひと足さきに車からおりて、ジェンニーのおりるのに手をかしてやった。ジャックが運転手に金を払っているあいだに、ジェンニーは、まるで夢遊病者のように、呼び鈴のところまで三足ばかり歩いた。とつぜん、とほうもない考えが心に浮かんだ。だが、ママが帰っているかもしれないし……母のことを思ったとき、ジェンニーははっと衝撃を感じた。そして、あらゆる不安が、ふたたび彼女の心を襲った。彼女は、ふるえる手さきで呼び鈴を押した。

ジャックが彼女のそばへ寄ったとき、ドアは細めにあけられていた。そして家番室の前には、すでに電気がついていた。

「あした?」と、あわただしくジャックが言った。

ジェンニーは、承諾のしるしにうなずいてみせた。なにひと言、声に出しては言えなかった。ジャックは彼女の手をとって、それを両手で握りしめた。

「朝のうちはだめだ……」と、ジャックは声をはずませていた。「二時では？　来てもいい？」

ジェンニーは、ふたたび承諾のしるしにうなずいてみせた。そして手をひっこめてから、ドアを押した。

ジャックは、彼女が、ぎごちない足どりで光のしまの中を通って行き、ふり返りもせずに暗い中に姿を消すのを見た。彼は、ドアがしまるのにまかせておいた。

五十九

リエバールのところでは、ジャックはほとんど眠れなかった。せまい鉄のベッドの中で幾たびとなく寝がえりをうち、幾度となく窓が明るんでもう夜明けなのではないかと思ったあとで、およそ二時間ばかりぐっすり眠った。そして、落ちつかないようすで目をさました。

外は、ようやく朝になっていた。

ジャックは着物を着、旅行カバンの中のわずかな持ち物を整理し、書類をひとまとめにしてそれを包みにした。それから椅子を窓ぎわに引っぱり、なんと取りとめて考えるでもなく、長いこと、ひじを窓のかまちについていた。ジェンニーの面影が、幾度となく彼の目のまえを通りすぎた。できることなら、ゆうべの自動車の中でのように、いま自分のそばにいて、何も言わず、じっとして、たがいに肩をもたせ、頰をよせあい、身をよせあっていられるのだったら……別れてしまったいま、言い残したことが山ほどあるような気持ちだった……彼は、町や河岸（かし）のあたりが、掃除人や牛乳配達の朝のなりわいのおかげで、次第次第によみがえっていくのをながめていた。往来のみぞのふちには、まだごみ箱が並んでいた。ホテルの正面、町かどの家には、よろい戸がしまっていた。あいているのは、その家の中二階にある陶器商の住まいだけ。ガラス窓の向こうには、半分わらにくるまれたままの、はんぱもののセット類。花びん、ボンボン入れ、バッカント（酒神バッカスの巫女）の像、偉人の胸像などが無数に積みあげられているのが見えた。その下には、ユダヤ人の肉屋の真紅なよろい戸の上に、ヘブライ文字で書かれた金の屋号が見えて、彼はそれに、いつまでも目を引きつけられていた。

七時になり、もうゆうべの宿賃を払ってもいい時刻だと思ったとき、ジャックは宿を出ることにした。そして、新聞を何枚か買い、それを読むために河岸のベンチに腰をおろした。

空気はほとんど涼しいと言えそうだった。はるか向こうには、明るい靄が、ノートル・ダム寺院を中心にただよっていた。

ジャックは、むかつくような、あくことを知らない貪婪（どんらん）さで、それらの電報や記事を読みかえした。それらのどれもこれもは、新聞の中で、まるでたくさんな鏡面の見せるたわむれのように無限に反復されていた。

すべての新聞が、今度という今度、筆をそろえて危機の到来をさけんでいた。『自由人』でのクレマンソーの論説には《深淵のふちに立つ》という見出しがつけられていた。『マタン』紙までが、その大見出しに《危機到る》とつけないではいられなかった。

共和派新聞の大多数は、右派の新聞と声をそろえて、《現在の情勢下》フランス社会党がパリでの平和促進万国大会を開くことを受諾したことについて非難の声をあびせていた。

ジャックには、ベンチをはなれて、きょうの新しい一日をはじめるだけの決心がつかずにいた……きょう、七月三十一日金曜日……なにしろ彼は、それらを読んだことによって放心状態から引きだされ、社会とふれ合おうといった気持ちにさせられていた。彼は、けさすぐにも天文台通りの家へ駆けつけたいという気持ちとほんのしばらくのあいだたたかっていた。だが、たちまち、そうした誘惑が、愛情のためというより、じつは生きるうえの卑怯さからきているものであることに気がついた。彼は恥じた。戦争は宿命的なものではない。まだ絶望だとは言いきれない。なすべきことが残っているのだ……いまパリのいたるところの町々では、人々が戦おうとして床をはなれかけている……それに、ジェンニーには、二時でなければと言っておきはしなかったか？『ユマニテ』社へ行くには、時間がだいぶ早すぎた。だが『エタンダール』社だったらころあいの時刻だ。彼は、旅行カバンをどこにあずけていいかわからなかった。そうだ、ムールランのところにあずけてやろう。

彼は、ムールランをたずねることを思いついて立ちあがった。バスティーユまでは、河岸（かし）づたいに歩いていこう。そして、歩いて行くうちに、気持ちも落ちついてくるだろう。

『エタンダール』社の戸口はしまっていた。《またあとで来てみよう》と、ジャックは思った。そして、時間つぶしに、フォブール・サン・タントワーヌで本屋をやっているヴィダールのところへ行こうと思った。そこの店の裏の部屋は、『エラン・ルージュ』誌を出しているアナーキストのインテリ連中の、いつもの集合所になっていた。その雑誌には、ジャックも幾度か、ドイツやスイスの新刊書についての書評を載せた。

ヴィダールのところには、誰もほかに客がなかった。ヴィダールは、上着をぬいだシャツ一枚の姿で、窓ぎわに近い机に向かって、パンフレットらしい小冊子の束にひもをかけていた。

「まだ誰も来ていない?」と、ジャックがたずねた。

「ごらんのとおりさ」

ヴィダールの、おこったような声のちょうしに、ジャックははっとさせられた。

「というと? 早すぎるからかしら?」

ヴィダールは、肩をすくめてみせた。

「きのうだって、来たやつの数は知れたものさ。にらまれたくないからにちがいないんだ……これを読んだか?」そう言いながら、彼は机の上の本のひとつをジャックにしめした。

「読んだ」それは、クロポトキンの『革命の心理』だった。

「りっぱなもんだ！」と、ヴィダールが言った。

「家宅捜索でもあったのか？」と、ジャックがたずねた。

「そうらしいんだ……だが、ここにはこなかった。少なくもいままでのところは。だが、みんな隠してしまってある。いつやって来ても平気なんだ……まあかけろよ」

「じゃまをしたくない。またやって来る」

外へ出て、車道を横ぎろうとしかけたとき、ひとりの警官がていねいに呼びかけた。

「身分証明書をお持ちですか？」

見うけたところ私服と思われる三人の男が、二十メートルばかり離れた人道のところに立っていて、こちらのほうをながめていた。警官は、何も言わずに旅行免状をしらべ、会釈しながら返してくれた。ジャックは、タバコに火をつけたあとでその場を去った。だが、何か無気味な気持ちだった。《十二時間のあいだに二度までか》と、彼は思った。《まるで戒厳令でもしかれたようだな》彼は、尾行されていはしないかをたしかめようと、しばらくルドリュ・ロラン町のほうへ歩いていった。《それほど買いかぶられてもいなかったんだな……》

そのとき、ちょうどその近くへ来かかっていた彼は、モダーン・バーへよってみることを思いついた。それは、トラヴェルシェールにある一軒のカフェーで、パリ第三区の、特に活発をきわめている地区の連中の中心になっていた。会計係のボンフィスは、ペリネの幼なじみの友人だった。

「ボンフィス？　この二日というもの、ちっとも姿を見せないぜ」と、おやじが言った。「それに、けさはまだひとりも姿をあらわさないや」

ちょうどそのとき、はすかいにはさみを背負った三十がらみの男が、自転車を手で押しながらバーの中へはいってきた。

「おはよう、エルネスト……ボンフィスはいるかい？」

「いないよ」

「連中は？」

「だあれも」

「ほほう！……そして、何もたよりはなかったか？」

「なんにも」

「あいかわらず中央委員会からの指令を待ってるのか？」

「そうなんだ」

指物師は、何も言わずに、不審な眼差しであたりを見まわしていた。そして、口にくわえたタバコを舌でこねくりまわし、まるで魚のように口を動かしていた。

「しんきくさいな」と、やがて彼は言った。「なんにしても、そこのところがわからなくっちゃあ……おれは第一日に七十四連隊に動員だ、事がおこったら、いったいどうしたらいいんだろう……どう思う、え、エルネスト？　やっぱり行かなければならねえかな？」

「行ってはいけない！」と、ジャックがさけんだ。

さ」

「どうもおれにはわからねえな」と、無愛想にエルネストが答えた。「すべておまえの考えひとつった。

「戦争へ行くのは、戦争をしたいやつらの片棒をになうようなものなんだ……」と、ジャックが言

「ちげえねえ、まったくおれの考えひとつだ」と、男は、さもジャックの言葉が耳にはいらなかったように、エルネストの言葉を肯定した。ちょうしだけは元気だったが、困っていることは明らかだった。男は、ジャックのほうへ不満らしい一瞥を投げた。それはどうやら《おれはひとさまの意見なんか聞きたくはねえんだ。委員会の指令だけを待ってるんだ》とでも思っているらしいようすだった。

男は、身を起こして、自転車の向きを変えると、「あばよ」と言った。そして、ゆっくり、腰をゆすりゆすり出ていった。

「いやんなっちゃう、誰も彼もが判で押したようにおんなじことを聞きやがる」と、エルネストが言った。「いったいおれにどうしろって言うんだ？　委員会は、まだ指令を出すところまで折り合いがついていないっていう話だ。党という以上、指令ぐらいは出すべきじゃねえか？」

『エタンダール』社へ引き返すまえに、ジャックは、考えこみながら、しばらく町中をぶらついた。そこではいまや刻々興奮が高まっていた。みぞのふちに立ち並ぶ野菜くだものを満載した小さな車の

列、呼び売り商人の声、日をよけて陰になったいっぽうの人道の上にひしめきあっている労働者やかみさんたちの群れなどが、せまい往来を、まるで野天の市場のように思わせていた。

ジャックは、洋品店のショーウィンドーのほとんどすべてが、申し合わせたように男物の雑貨、それも季節からいってかなりとっぴょうしもなく思われる毛糸のチョッキ、フランネルの胴巻、だぶだぶな綿シャツ、毛の靴下などを並べていることに気がついた。靴屋の店では、ボール紙か布の上ににわかづくりの広告を書き、それが人目を引いていた。つつましやかな店では《狩猟靴》とか《遠足靴》とかうたっていた。大胆な店のいくつかは《兵隊靴》さらには《軍靴》と張りだしていた。大ぜいの男たちは、心引かれるように足をとめながらも、べつに何か買うというのでもなかった。女たちは万一を思ってか、買物袋を腕にさげ、毛織物類にあたってみたり、さわってみたりするいっぽう、鋲を打った靴を持ちあげてみたりしていた。買い気といってはまだ出ていなかった。だが、人々の注意をあつめた点から言って、この売出しが、まさに一般の関心に応じているものであることはいなめなかった。

通貨の減少のますますめだってきたことが、商取引の円滑をいちじるしくさまたげはじめていた。両替屋に鞍替えした行商人たちが、胸に箱をさげて動きまわっていた。百フラン紙幣につき通貨九十五フランの割合いで、一か八かをやっているのだ。そして、警察のほうでも、見て見ないふりをしていた。

国立銀行は、きのう、五フランと二十フランの紙幣を山のように発行した。人々は、それを珍しいものでもあるかのように見せあっていた。

「してみると、ずっとまえから用意してあったんだな」人々は、心配といったような、いまいましいといったような、それでいて何か感心したようなちょうしで話していた。

ジャックは、バスティーユ広場の、あるカフェーのテーブルにつかずにはいられなかった。きのうから飲まず食わずというわけなので、咽喉はかわき、腹もへっていた。

郊外居住者の人波は、ガール・ドゥ・リヨンの駅、電車、地下鉄などから続々はき出されて、あらゆる方面へ向かってひろがって行っていた。人々は、新聞を手にして、心配そうな、戸まどいしたようなようすで、ちょっと日のあたっている広場に足をとめては、あたりをぐるりと見わたした。それは、職場へ出かけるまえ、戦争の脅威が、パリを一夜のうちに変えてしまわなかったことをわれとわが心に納得させるためとでもいうようだった。

カフェーの中には、せわしそうな、不安そうな人たちがたえず出たりはいったりしながら、大きな声で話しあっていた。

ある者は、動員手帳をたしかめさせようと、女房を区役所へやったと話していた。そして、あまりにも人々がおしかけるので、兵事課の受付が平素の三倍に増員されたと、いかにも得意げに話していた。

ひとりのタクシーの運転手は、笑いながら、ニュース写真の雑誌を見せていた。そこには、おなじページに、カイゼルのベルリン帰還の写真と向かいあってポワンカレのパリ帰還の写真が載っていた。対照的であるとともに象徴的なその写真、その中では、両国の元首が、自動車のステップに立って、おなじような勇ましい身ぶりで、信頼しきった国民の歓呼に答えていた。

中年の男女が一組、はいって来るなり、スタンドのほうへ歩いていった。女は、おびえたような表情で、そこにたのもしい眼差しでも見つけたいといったように、ほかの客たちの顔をじっとながめていた。ふたりはすぐに話しはじめた。

男は言った。

「なにしろ、おれたちのところはフォンテーヌブローだ。あっちはなかなか猛烈だ」そう言ってから口をつぐんだ。

女は、おしゃべりと見えて、これに説明を加えていた。

「ゆうべ、あたしたちのお向こうの竜騎兵第七連隊の将校のところへ、大いそぎで軍用行李のしたくをするようにって言ってきたのよ。それから、夜の十二時ごろになると、たくさんな馬の足音で目がさめたの。騎兵連隊に出動命令が出たんですって」

「それはまたどこへ？」と、帳場の女がたずねた。

「そこのところがわからないの。バルコニーへ出てみたのよ。誰も彼も、町じゅうの人が窓へ出ていたっけ。どなり声ひとつ、話し声ひとつ聞こえやしない。楽隊もつかず、軍装をして……まるで泥棒みたいに通って行ったわ……その後からは軍用自動車、荷物をつんだ何台もの自動車……それが、あとからあとからつづいて行くのよ。そして、朝までつづいたの」

「区役所では」と、男が言った。「馬、騾馬、荷車、それにかいばまで徴発するってはりだしていた！」

「いよいよあぶなくなってきたのね」そう言った帳場の女は、まるでおもしろいとでもいったような、ほとんどうれしそうともいえそうなようすだった。

「予備の連中にも召集がきたんだ」と、誰かが言った。

「老いぼれどもに？　じょうだんじゃねえ！」

「ところが、まったくなんでして」と、給仕するのも忘れてボーイが言った。「橋とか、鉄道の分岐点とか、なにしろあぶないところを守らせるために、まえもってずいぶん人手がいるらしいんでさ……わたしも知っていますが、わたしの兄弟で、シャロンの近所に住んでるもう四十三にもなろうって男が、駅の守備隊に狩りだされました。いやおうなしに軍帽をかぶらされ、腰には弾丸入れ、鉄砲片手に、それ、陸橋の歩哨に立て！　と、こんなことになるんでしょうな。ところでこれはまじめなお話。橋のそばへ行くんだったら、りっぱな許可証が入用なんです。万一それがなかろうものなら、撃っちまえっていうことでしてね！　なにしろ、スパイのやつ、だいぶうろついてるって話ですから」

「おれは、二日めに出ることになってるんだ」と、白いブルーズを着たペンキ職工の男が、誰から聞かれるともなしに言った。男は、その指でひねくりまわしている小さなグラスの上に目を伏せながら、誰の顔も見ずに言った。「おれもだ！」と、別の声が言った。

「おれは三日めだ！」と、ふとっちょの、人のよさそうな鉛管工が言った。「ところが、おれはアングーレーム行きだ！　つまりプロシャのやつらが、シャラントにはいりこんでこないうちにというわけなんだ！……」男は、腰のところのごろごろしている道具袋を、強気らしいようすで肩でひとゆり揺りあげると、戸口のほうへ行きなぎら、冷笑するように言ってのけた。「どっちみち、おれにとってはどうでもいいんだ……なるようになれだ……そうするか、でなければ、つまらねえ目に会わされるまでだ！」

「するだけのことはしなくっちゃあね」と、帳場の女が、もったいらしく結論をくだした。

ジャックは、こぶしを握りしめていた。そして、じっとおしだまり、いらいらしながら、人々の顔をながめまわした。彼はそこに、はげしい反発や反抗が見られはしまいかともとめていた。だが、それはまったくの徒労だった。そこにいる誰も彼も、すべてこんどの事件に虚をつかれたかたちで、気がちがい、ばかになりでもしたようだった。強がりのうらでは、じつはおびえているのだった。みんなあきらめているのだった。少なくとも、あきらめかけているらしかった。

ジャックは立ちあがり、旅行カバンを手にして外へ出た。いつにもまして、ムールランに会いたい、会わずにはいられない気持ちだった。

ムールランは、両手を黒いブルーズのポケットにつっこみながら、中二階の、ドアというドアをあけ放した三つの部屋の中を行ったり来たり歩きまわっていた。ほかに誰もいなかった。ムールランは、歩きつづけながら「おはいり！」とどなった。そして、ジャックがドアをしめるのを見て、はじめてうしろをふり返った。

「なんだおまえか？」

「こんにちは。これをあずかってもらえないかしら？」ジャックは、カバンをもちあげてみせながら言った。「名まえのついてない下着類が少し。書類もはいってないし、名まえも書いてないんだけれど」

ムールランは、かんたんに、承知のむねを身ぶりでしめした。だが、おこったような、きつい目つきはそのままだった。

「なにをこんなところでぐずぐずしてるんだ？」と、ぶっきらぼうにムールランがたずねた。

ジャックは、あっけにとられたかたちで彼をながめた。

「何をぐずぐずして逃げださずにいるんだ？　こんどこそ、いよいよ本物だってことがわからないのか？」

「あなたの口から！……え、あなたまでが？」

「そうさ、おれもさ」と、ムールランは深くこもった声で言った。

彼は、ひげのあいだにのこっていたパンくずを払いのけると、ふたたび両手をポケットにつっこみ、またもや行ったり来たり歩きはじめた。

ジャックとしては、これほど消沈した顔、これほど元気のない目をした彼を見るのははじめてだった。なにしろ興奮のさめるのを待つとしよう。ジャックは、相手のすすめも待たずに椅子を引きよせ、そこにどっかと腰をおろした。

ムールランは、おりのなかの獣のように、なおも二、三回歩きまわってから、ジャックの前で立ちどまった。

「いまになって、どんな相手をあてにするんだ?」と、彼はどなった。「おきまりの《労働大衆》といったところか? ゼネストとでもいったところか?」

「もちろん!」ジャックは、確信に満ちた声で答えた。

ムールランは、大波のように肩をゆすった。

「ゼネストか? ふん! いまになって、どこにまだそんなことを言ってるやつがいるんだ? どこにそんなことを考えてるやつがいる?」

「このぼくがだ!」

「おまえが? では、おまえたちがたのまれもしないのに助けてやろうとしているそうした哀れなやつらの中に、相手からいどまれたが最後、すぐ飛びだして行くような命知らず、けんかずき、生まれながらのひょうきん者の大たわけが大ぜいいることを知らないとでもいうのか? やつらは、ドイツ人がひとりでも国境を踏み越えたと吹っこまれると、たちまち鉄砲をおっ取るような連中なんだ! ……ひとりひとりを取ってみれば、だいたいのところ、なるほどいいやつで、人をそこねたくないと口にも言い、またそう信じてもいるやつなんだ。ところが、そういうやつの心の中には、あいかわらずの殺戮ずき、破壊ずきな本能というやつがかくれている。自分ではそれを恥ずかしく思い、ひたかくしにしていながら、とかくそいつにむずむずさせられ、いったん機会があたえられると、とかくそいつに身をまかせるんだ……しょせん人間は人間だ。こいつはなんともならないことだ……で、ひとりひとりがあてにできないことになったら、いったい誰をあてにできよう？　指導者たちか？　というと？　ヨーロッパ・プロレタリアの指導者たちか？　フランスの指導者たちか？　善意にみちたわれらの選良たち、社会党の代議士たちか？……では、そういうやつらが、何をやってるのか知らないか？　みんなポワンカレ信任投票に余念なしさ！　すんでのことに、ポワンカレの戦争宣言に、お先走りの署名さえもしかねないやつらだ！」

ムールランは、くるりとからだをひるがえすと、も一度部屋の中を歩きまわった。

「とんでもない」と、ジャックはつぶやいた。「フランスにはジョーレスがいる……そして、ほかの国には、ヴァンデルヴェルドもいれば、ハーゼもいる……」

「ほほう、ではおまえ、そうしたおえらがたをあてにしてるっていうわけか？」と、ムールランは、つかつかとジャックのほうへもどって来ながら言った。「おまえはやつらを、ブリュッセルで目のあたり見てきたはずだ！　もしもやつらが男だったら、真に革命的行動によって平和を守ろうと決心した男だったら、全ヨーロッパ社会主義者に指令を出すため、話のまとまらないってはずがどこにあるんだ？　そうなんだ！　やつらは、各国政府を罵倒しながら、じつは自分たちをやんやと言わせたまでなんだ！　それからどうした？　やつらは郵便局へかけつけて、カイゼルに、ツァーに、ポワンカレに、アメリカ合衆国の大統領に——しかもローマ法王にまで、お涙ちょうだいの電報を打った！　そうだ、ローマ法王にまで、つまり、地獄がおそろしいぞと、フランツ・ヨーゼフをおどしてもらおうと思ってなんだ！……ジョーレスにしたって何をしている？　やつめ毎朝、まるでさんしたやっこといったように、ヴィヴィアニのそでを引きにいっては、ロシアをおどしに、大声あげてどなってくれと《閣下》にお願い申してるんだ！……そうだ！……そうだ、労働者階級は、彼ら自身の指導者によってだまされてるんだ！　革命的行動によってきっぱり戦争の脅威に立ち向かうかわりに、やつは、国家主義者たちを好きなように動きまわらせ、革命の時機をとりにがし、勝ち誇った資本家どもの手の中にプロレタリアを引きわたしたんだ！……」

　ムールランは、二足ばかり歩きかけたが、とつぜんくるりとふり返った。

「それに、誰がなんと言おうと、おれは、ジョーレスのやつ、大向こう受けをねらってると思っている！　やつも、心の底では、このおれとおんなじように、もう事はきまっている、万事休すだ、あしたになればロシアとドイツがおっぱじめる、そしてポワンカレが、落ちつきはらって戦争を引きうけるにちがいないことを知っているんだ！……まず第一に、ポワンカレとしては、自分がペテルスブルグで結んできたけしからん条約を守りたいにちがいない。それに……」そこまで言って言葉を切ると、ドアのほうへ歩みより、それをそっとあけると、ねずみ色のねこと四匹の子ねこを入れてやった。

「ここへこい、ここへこい……それに、やつめ、アルザス・ロレーヌ（一八七〇年、普仏戦争の結果フランスがドイツに譲った二州）をフランスにとりもどした男になりたがってむずむずしている！」

彼は、窓と窓とのあいだ、書物や小冊子のいっぱいのっている本棚のところへ歩みよった。そして、一冊の本を取りだすと、さも馬の首をたたくように、幾度か手のひらでそれをはたいた。

「わかったかな?」と彼は本を元の場所にもどしながら、まえよりもやさしく言った。「おれは、何もばかなまねをしようというんじゃない。ただ、バーゼル会議のあとで、やつらのインターナショナルがいかにあいまいな基礎のうえに立っているか、それが知らせたさに本を書いた。たしかにおれは正しかった。ジョーレスのやつ、毒づきやがった。誰も彼もが毒づきやがった。ところがこんにち、事実は厳としてごらんのとおりだ! われらの、本物の、社会主義インターナショナリズム、それをいまなお、いたるところで権力を握っている国家的勢力と《協調》させようなんて、まさにばかの骨頂だ……法律のわくから踏み出すことなく、政府に《圧力を加える》だけで満足し、攻撃といっても、ただ堂々たる議会演説だけにとどめておいて、やれ戦おう——しかも戦って勝とうなんて、ぜんぜんばかみたいな話なんだ!……じつのところ、革命指導者中の十中の九まで、どうだ、はっきり言おうか? やつらには、ぜったい、国家のわく外に立って行動する決心なんかできっこないんだ! これで筋道がわかったろう? つまり、その国家なるもの——すなわち、やつらが、社会主義的共和国によって、とってかわらせるため、適当な時期にひっくりかえすことのできなかったところのもの、いや、ひっくりかえしたくなかったところのもの——それをいま、やつらは、ひとたび敵の騎兵の姿が国境線にあらわれたが最後、剣付き鉄砲で守るよりほかに知恵がないんだ! しかもやつらは、そっと準備をはじめている!……こんなありさまを見せられようとは!」彼は、憤然として語りながら、またもやくるりと向きを変え、足早に、部屋の向こうまで歩いて行った。「これこそまさに全面的な裏切り行為だ！……ギュスタヴ・エルヴェ流の裏切り行為だ！　ピンからキリまで、全指導者をあげての裏切り行為だ！……おまえ、新聞を読んだかな？　国難きたる！　国家総動員！　剣を抜け！　ぶかぶか、どんどん！　大戦争にかり立てる太鼓のひびきだ！……一週間とたたないうちに、フランスには、そしておそらくヨーロッパには、しんの髄までの社会主義者といったら一ダースほどもいなくなるだろう。いたるところ、社会主義的愛国者だけがのこるんだ！」

ムールランは、ふたたび足ばやにジャックのほうへもどってくると、いらいらした手を肩においた。「だから言うんだ。このムールランを信用しろよ。ずらかれ、ずらかれ……ぐずぐずしている時ではない！　スイスへ帰れ！　あっちへ行ったら、まだまだ何か仕事があるだろう。ここにいたんじゃおしまいだ――まったくもっておしまいだ！」

ジャックはムールランのところを出たが、なにかしら浮かない気持ちをどうにもおさえきれなかった。どこへ行ったら元気になれるか？

ジャックはいそいで『ユマニテ』社へ行った。

だが、ステファニーもギャロも、《おやじ》と会議のさいちゅうだった。廊下のところ、室と室とのあいだで行きあったカディウは、とっさの間に、走りながら、ジョーレスがマルヴィ、アベル・フェリの両閣僚とついいましがた会ってきたこと、帰っての言葉に、事態はまだまだ絶望すべきものではないと言っていたことをさけぶように言って聞かせた。

カディウが行ったと思うまもなく、こんどはギャロの助手をしている青年のパジェスに行きあった。パジェスのほうは、きわめて悲観的な見方だった。ロシアでは、軍隊方面の動きはますます急迫しているらしい。いたるところ、ツァーが、きのう秘密裡に、決定的勅令、総動員の勅令に署名をおわったというわさで持ちきりだ。

ジャックが、ちょっとはいってみたクロワサン亭では、知った顔はひとつも見あたらなかった。ただ室の一隅で、ユリーばあさんが、婦人の主義者たちの小集会を司会しているらしい姿だけが目にはいった。足の短い彼女にはいささか高すぎるかと思われるレザー張りの長椅子の上へ腰をかけている彼女は、帽子もかぶらず、熱狂的な老闘士といった顔のまわりにごま塩髪の円光をめぐらし、呼び集めたらしい婦人主義者たちを説得するため、そのまんなかに身をおいて、大げさな身ぶりでしゃべっていた。

ジャックは、彼女に気がつかなかったようなふりをして、外へ出た。

サンティ町のプログレ亭では、すでに幾人かの連中が集まっていて、中二階の喫煙室で、きょうのできごとの批判をしていた。ラップ、ジュムラン、ベルラ、それに新顔のナンシーからきた男は、ムルト・エ・モゼル連盟の書記長をしていて、東部からの情報をもたらしてけさパリへ着いたということだった。

その男は、旅行中いっしょになったドイツの社会主義者が、ゆうべベルリンで軍事会議が行なわれたと断言していたことを話して聞かせた。ベルリンでは東邦会議の召集が決定された。ドイツでは、きょうにも重大な決定のなされることが予想される。モゼル川の橋梁は、すべてドイツ軍隊によって軍事的に占領されている。まさに一触即発の状態だ。すでにきのう、リュネヴィルの近郊では、ドイツの軽騎兵は、挑戦するといったように、国境線を越え、フランス領土の上に五、六百メートルも馬を走らせた、と話していた。

「リュネヴィルで?」とジャックは言った。彼はとつぜん、ダニエルのこと――ジェンニーのことを思い浮かべた。

それから先は、ただうわのそらで耳を傾けているにすぎなかった。男は、すでに数日まえの夜から、東部の鉄道全線にわたり、その主要線を結んで無数の空車両が動いており、それがすべて、予備車両として、パリ郊外へ送られていると話してきかせた。

ジャックは、胸せまるような思いで口をつぐんでいた。彼の目には、現実のまぼろしといったように、運命的な下り坂をすべり落ちていくヨーロッパのすがたが描かれていた。このうえどうした奇跡によって、大転換の救いを、世論の喚起を、各国民衆による急激重厚な抵抗を促し立てる期待が持てよう?

このときとつぜん、ジャックの胸には、兄に会いたいという考えが思い浮かんだ。この一週間、ずっと会わずにいたのだった。ちょうど時刻は昼飯どき、アントワーヌが家に帰っている時刻だった。《それに》と、彼は思った。《ジェンニーのところへ行くまでの時間つぶしにもなるだろうし》

六十

「戦争になるということですが、ごぞんじでしょうか?」と、レオンがたずねた。からかっているのかしら? 言葉のちょうしにこそ、彼の飛びだした目の見せている眼差し同様、いかにもぽかんとした質問のようすを見せてはいたが、厚い下唇のあたり、ちょっと食えないようすを浮かべていた。彼はジャックの返事も待たずにつけ加えた。「わたくしは四日めに出ますんで。いつも従卒をやっておりました」

階段のところに、エレヴェーターのドアのきしみが聞こえた。

「ただいま」と、レオンが言った。そして、すぐにドアをあけに行った。

アントワーヌは、眼鏡をかけ、ごま塩頭の、そしてアルパカのモーニングを着たひとりの男を、肩で押しだそうとしているところだった。ジャックはすぐに、それがかつての父の秘書だったことに気がついた。

シャール氏は、ジャックの姿を見つけると、ぎょっとしたようにとびあがった。彼は知った人に出会うごとに、いつも手を口にあて、さもおどろきの声を立てまいとするようなようすをした。

「あなたでしたか?」

アントワーヌのほうは、ジャックを見てもべつに驚いたようすも見せず、うわのそらのように手を握った。

「シャールさんは、おれの帰りを待ちながら、往来をなんべんとなく歩きまわっておられたのさ……で、いっしょに昼飯をたべていただくことにした」

「毎々ということでもございませんし」と、シャール氏は、恐縮したようにつぶやいた。

アントワーヌは、レオンのほうをふり返った。

「すぐ食事にしていいぜ」

三人は診察室へはいって行った。そこにはすでに、ステュドレル、ジュスラン、ロワが集まっていた。開かれたままの新聞で、机の上はいっぱいだった。

「おそくなった。病院から外務省のほうへまわったものだから」と、アントワーヌは言いわけをした。

しばらくの沈黙、みんなは、浮かないようすで、じっと彼をみつめていた。

「どうもよくない……きわめてよくない……」と、アントワーヌは言葉すくなに言ってのけた。そして、がっかりしたように口をとがらせながら、首をふってみせた。それから、声を張りあげて「さ、食事をはじめよう」と言った。

誰ひとり沈黙をやぶるものもなく、みんなは異常な注意をこめながら半熟の卵をたべおわった。

「リュメルの話だと」と、とつぜんアントワーヌが、皿から目を放さずに言った。「イギリスは、たしかにわれらと同調するものと考えていいらしい。敵にまわらないことだけはたしかだな」

「とすると」と、ステュドレルがたずねた。「なぜはっきりそうと言わないんだろう？　これからだって事態収拾ができるだろうに！」

ジャックは、がまんできなくなってきた。

「なぜって？　つまりイギリスが事態収拾をするなんて、全然あてにできないことなんですから……イギリスは、大戦という富くじで、一番もうけるたったひとつの国なんですから」

「それはちがうな」と、いらいらしたようすでアントワーヌが言った。「イギリス政府の上層部では、誰ひとり戦争を望んではいないらしいぞ」

アントワーヌの右には、シャール氏が、椅子にちょこんと腰をかけてじっと耳をすましていた。どんな椅子にかけていても、まるで補助椅子にでもかけているようなかっこうの彼だった。彼は、右に左に首をふり向け、心配そうな注意をこめて、じっと話し手をみつめていた。そして、たべることさえ忘れていた。いま、世をあげての上を下への大騒ぎは、彼の理解力と神経の力をはるかに上まわっていたのだった。彼は、すでにおとといから、新聞で読んだり、人から聞かされたりしての病的な恐怖心に、すっかりしめつけられていた。そして、けさここへ来たというのも、何か安心の手がかりが得たいと思ってのことなのだ。

アントワーヌは、虚勢とも思われるような大上段なちょうしで言った。

「いまのイギリス内閣は、心から平和主義の連中からできている。それに、見うけたところ、ヨーロッパの政府閣僚の顔ぶれとしては、もっとも優秀なものと言えるだろう。グレーは、いっぱし分別のある男で、八年このかた外務省の仕事を手がけている。アスキスとチャーチルは、思慮も深く、正直者だ。ハーデンは、きわめて活動的で、ヨーロッパのことを知りつくしている。いっぽうロイド・ジョージは、平和主義をもって有名だ。彼はいつでも軍備拡張に反対してきた」

「すべてえりぬきの人物ですな」と、シャール氏は、まるでずっとまえからそう思っていたかのように合づちをうった。

ジャックは、防御態勢をとり、じっと兄をみつめながら、黙って食事をつづけていた。

「なにしろ、そうした連中に指導されているイギリスとして、一か八かをやってみようなんて気持ちはぜんぜん持つべきはずがないんだ」と、アントワーヌは結論をくだした。

ステュドレルがまたもや口をはさんだ。

「では、なんでグレーが、この十日以来、外交的トリックによる弥縫策に憂き身をやつしているんだろう？　ドイツ、オーストリアを引きさがらせる唯一的確な方法は、彼らにたいして、戦争になったらイギリスが彼らを敵にまわすぞということを知らせてやることにあるんじゃないか？」

「だからさ、きのうドイツ大使と会談したとき、グレーはそれをやったらしい」

「結果は？」

「手ごたえなし……いまのところ手ごたえなしだ……それに、外務省では、その宣言がおそすぎたので、効果がないのではないかと案じている」

「当然だ」と、ステュドレルがうなった。「何をぐずぐずしていたんだ？」

「それは何も、偶然のことではないんです」と、そのときジャックが意見をはさんだ。「ヨーロッパの権力を握っている悪辣な政治屋どもの中でも、グレーはいちばん……」

「リュメルによるとぜんぜんちがうぜ」と、アントワーヌは気色ばんで口をはさんだ。「リュメルは、ロンドンの大使館に三年間勤務していた。たびたびグレーとも会っていたんだ。で、彼の話は、すべてを知りつくしていての話なんだ。きわめてよく見ているように思われるんだ」

「それは耳よりのお話ですな」と、シャール氏は、低い声で、さもひとり言といったようにつぶやいた。

アントワーヌは口をつぐんでいた。論争する気持ちも、外務省で聞いてきた話をする気持ちもぜんぜんなかった。彼は疲れきっていたのだった。彼は、まえの晩を、ステュドレルと医学上の文献の整理をするためにすごした。万一の場合を思って、書類を整頓しようと思ってだった。そして、ステュドレルの帰ったあとでは、書斎にはいって、手紙類を焼きすて、個人的な書類のえりわけや整理をした。彼は、明け方になって二時間だけ眠った。彼は、目をさますやいなや新聞に目をとおした。そして、熱病的な不安におそわれ、しかもそれは午前中、人に会っての話や、すべての人々の悲観論や狼狽などで、さらにかき立てられていたのだった。きょうの診察には、とりわけ患者が多かった。彼は、へとへとに疲れて病院を出た。そして、最後に行きついたのが、リュメルとの、泣きたくなるような対談だった……今度という今度、彼は、心の底をはげしくつかれたかたちだった。このあらしこそは、彼がそのうえに自分の生活を築いていた科学、理性の、その土台石を揺り動かすところのものなのだった。彼はとつぜん、精神の無力ということを、たけり立つ本能をまえにしては、節度、良識、英知、経験、正義の意思といったような、久しいまえから、彼がそのうえにたゆまざる自分の生活を打ち立ててきた数々の美徳が、まったく無価値であることを思い知らされたのだった……彼は、自分ひとりで考え、消沈とたたかい、自分というものをとりもどし、不可避にたいして敢然として心をかためられたらと思った。だが、みんなは彼のほうを向いて、彼が何を言いだすか、待っているとでもいうようだった。彼は、まゆをよせ、全身の勇気をふるいおこして言葉をつづけた。

「グレーは、いささか疑いぶかく、いささか小心で、必ずしもふとっ腹というのじゃないが、その考え方なり行動なり、きわめて公正で、つまり良心的なイギリス人の典型的人物というやつらしい。きみの考えているのとは、ぜんぜん反対というわけなんだ」と、彼は弟のほうを向いて言った。

「ぼくは、政策によって彼を判断しているんです」と、ジャックが言った。

「ところがリュメルは、彼の政策というやつをみごとに説明してきかせてくれた！　だが、なかなかこみ入っていたので、彼の話したことを、話どおりには思いだせないだろうが……」こう言いながらためいきをついて、ひたいのあたりを手でなでた。「まず第一に、グレーには、フランスとのしっかりした同盟を手放しで吹聴するだけの自由がないのだ。というのは、閣内には、たとえばハーデンといったように、ドイツに気のある連中がいるんだから。いっぽうイギリス国民は、つい最近まで、サラエヴォでの暗殺事件の結果などより、例のやっかいなアイルランド問題のほうにずっと心を引かれていた。セルビアを守るため、ヨーロッパ大陸に兵を進めることなんか、きっぱり一蹴されたことだろう……で、グレーにしても、もっと早く、もっとはっきり、イギリスを紛争に介入させようと思いながらも、そこには、閣僚たちや、議会や、国民によって支持されないという危険があったわけだ」

昼食のときとしてはめずらしく、彼はぶどう酒を一杯つぐと、それをひと息に飲みほした。

「それだけではない」と、彼は言葉をつづけた。「問題は、例によって心理的方面にもわたっている。グレーは、どうやら最初から、平和か戦争かのかぎはイギリスが握っているとはっきり意識していたらしい。と同時に、彼は自分の手にある武器が、両刃(もろは)の剣であることをも知ってたらしい。たとえばだ、仮に一週間まえ、イギリス政府が、フランスとロシアにたいして軍事的援助を公約したと想像する……」

「……おそらくドイツ政府は、たちまち態度を変えただろうと思うな」と、ステュドレルが言葉をはさんだ。

「ドイツはひっこみ、オーストリアにつめをおさめさせ、すべては外交交渉に円満打開を見たろうな!」

「そうかもしれない。だが、はたしてそうとも言いきれない。そして、グレーには、むしろその反対をおそれる理由があったらしい。もしロシアにして、フランスの軍隊と富とのほかに、さらにイギリス艦隊とイギリスの富とをあてにできることが確実だと知ったら、その切り札をいいことにして、乾坤一擲、やってみたかもしれないんだ……こうした角度からながめてみると」と、アントワーヌは、ジャックのほうを見ながら言った。「グレーの態度も、まったくちがったものに見えてくる。すなわち、平和を救おうという正しい希望が、まさに彼をして首鼠両端の態度をとらせたことがわかってくる。彼はフランスへ向かってこう言った。《気をつけたがいい。ロシアに何か言ってやるがいい。ロシアはきみの国をこの紛争にまきこみかねない。ところで、いいか、きみの国はイギリスをあてにはできないんだぞ》同時に、ドイツへ向かってはこう言ったんだ。《気をつけろよ！　イギリスは、諸君の強硬態度に不賛成だ。イギリス海軍が、北海で動員されていることを忘れるなよ。イギリスが、いかなる国とも中立を約束しなかったことを忘れるなよ》」

　ステュドレルは、肩をすくめて見せた。

「なるほど、グレー先生大いに慎重かはしらないが、けっきょくきわめておめでたいと言えると思うな。というのは、ロシアは、その諜報機関のはたらきで、イギリスが、ドイツにたいして行なった威嚇の事実をちゃんと知っていたにちがいないんだ。そのことが、当然イギリスの支持を期待させたというわけなんだ。いっぽうドイツの間諜は、イギリスの、フランスとロシアにたいする気のり薄の言葉を本国へ伝えた……そこでドイツは、イギリスの威嚇に、たちまち信をおかなくなってしまった……首鼠両端というやつ、それはけっきょく戦争勃発に役だつものにほかならなかったと言えるだろう！」

それは、だいたいにおいて、リュメルのくだした結論と同様だった。だが、アントワーヌは、それを口に出しては言わなかった。彼は、同僚たちに遠慮なく話してきかせていい一般的なニュースと、リュメルとの心おきない話の中で、個人的な見解、ないし内輪話と思われるようなものとのあいだに、厳格な区別をつけていたのだった。ジャックがこの場にいることは、彼を、いつにもまして用心させた。したがって、上層部が、たとえば、ジョージ皇帝（イギリス皇帝）へあてた大統領の親書といった形で、直接急速に大英帝国の援助を求める時期ではあるまいかと考慮しているようなことについては、あえて口にしようとしなかった。それにまた、リュメルによれば、グレーが、ゆうべドイツ大使と会見した結果、いよいよイギリスをしてのり出させる決意をしたという明確な事実についても、わざと触れないようにした。ドイツはおととい、二十九日、どえらいへまをやったらしい。すなわち、イギリス外務省にたいし、だいたいこんなことを言ったらしかった。《イギリスが、中立の態度をとることを約束していただきたい。そのかわり、われらは、戦勝のあかつき、フランスの領土を尊重することを約束しよう。そして、フランスからは、その植民地を没収するだけで満足しよう》思いあがったこうした申し入れは、紛争勃発のあかつき、ベルギーの中立を尊重しないと言ったことによってさらに悪化をもたらし――リュメルによれば、それがついにイギリス外務省を激怒させることとなり、閣僚全部の気持ちを急角度に親仏に転回させることになり、イギリス政府をしてさらに明白に露仏側に駆りたてることになった、というのだった。

ジャックは、べつに反対もせずに兄の説明に耳をかたむけていた。だが、承服していたわけではなかった。

「だが、いまの話では」と、ジャックは言った。「リュメル氏は、問題の主要な点を閑却しすぎているようだけれど」

「たとえば？」

「たとえば、大英帝国は、十年前までは、まだなんといっても海の王者たる貫禄を持っていた。ところが、いまのうち、なんとしてでもドイツ海軍の加速度的発展をせきとめないと、やがてイギリスは海軍国として第二位に落ちるおそれがある。これは事実だ。この事実は、知れすぎるほど知れている事実だ。しかも、ぼくの見るところでは、この事実は、グレーの反省や心理的逡巡以上に、十二分に真相を語っているように思われるんだ」

「そうだ、そうだ」と、ステュドレルがかさにかかった。「さらに、バグダッド鉄道問題は、イギリスの政策にいかなる影響をおよぼしているか？　つまり、ドイツは、コンスタンチノープルとペルシャ湾とを結ぶ鉄道を掌握しようとしている。そして、これこそ、スエズ運河に、生きるか死ぬかの競争をいどむところのものなんだ！」

「それがいったい何を意味するというんでしょう？」と、のほほんとしたようすでロワがたずねた。

「何を？」シャール氏も、おうむがえしにくり返した。

「つまりイギリスとしては、ドイツの力を引きさげるような戦争をしたいという、やむにやまれぬ理由を持っているわけなんです」と、ジャックが答えた。「そして、ぼくとして、これこそすべての問題を明らかにするものだと思うのです」

「イギリスは、ナポレオンにたいしても、あとからあとから手を打ちましたな」と、シャール氏が、気のきいたような口をはさんだ。そして、愉快そうに微笑しながらつけ加えた。「しかも、戦争にかけて、こんにちのドイツには、とてもナポレオンほどの戦略家は見あたりませんな！」

短いあいだの沈黙があった。そして、人々は、ちょっと皮肉な目つきをして見せたが、それもたちまち消えてしまった。

「そうかもしれないが」と、ジュスランがジャックにたずねた。「あなたは、現在イギリスの指導者たちの平和主義的であることが信じられないと言うんですか？」

「そうなんです。カイゼルが《われらの将来は海上にあり》と言い放ったとき、それはまさにイギリスへ向かっての挑戦でした。ぼくの見るところでは、いま、イギリスは、その挑戦に応じかけているのです。イギリスは、ヨーロッパじゅうでたったひとつ目ざわりな国をたたきつぶすための好機会を、利用しようと思っているのです。ぼくは、ロシアの意図を知りぬいているグレー自身、調停の提議をしながらも、それが奏功することを期待していなかったように思うんです。これまでというもの、いつも好んで欺瞞政策をとりつづけてきたと思うんです。事実上イギリス政府は、自分の必要とする戦争を――自分が望んでいながらも、いままで自分自身そのイニシアチヴをとる気にもなれず、これからとてもとる気になれないであろう戦争を、いやおうなしのものにしてくれるようなあらゆることを、いまやまさに好機到来と考えていると思うのです」

ジャックは、アントワーヌの顔をじっとみつめた。アントワーヌは、くだものをむいていて、論争には興味がないといったようすだった。

「すでに一九一一年に」と、ステュドレルは、マニュエル・ロワのほうをふり返りながら言った。「イギリスは、モロッコ事件に関し、仏独関係を卑劣にも悪化させるため、ありとあらゆることをやってのけた。もしカイヨー（モロッコ事件当時の仏外相）がいなかったら……」

ジャックの目は、ロワのうえにそそがれた。ロワは、長い食卓のはしのところにすわっていた。カイヨーの名を耳にすると、彼はきっと顔をあげた。そして、その若々しい歯並みのきらめくのが見えた。

ちょうどこのとき、ちょっとまえからぼんやり考えつづけていたようなジュスランが口を切った。彼は、皿の上の新鮮なはたんきょうの皮をむきかけていた手をやめて——彼は、うわのそらのようすで、フォークとナイフの先でその皮をむきかけていた——食卓のまわりを、愛想のいい眼差しでながめまわした。

「いったい後世の歴史家どもは、現在われらの生きている歴史をどう語るだろうか、それについてのぼくの考えていることがわかるかな？　彼らはこう言うにちがいないんだ。《一九一四年六月の夏、ある日のこと、突如ヨーロッパの中央に大火災がおこった。火元はオーストリア、その薪は、ウィーンで周到にととのえられたものだった……》」

「……ただし」と、ステュドレルが言った。「火花の発したのはセルビアだ！　そして、それは、ペテルスブルグからまっこうに吹きつける、はげしい、破廉恥な北東風にあおられた！」

「そしてロシアは」と、ジュスランがつづけた。「たちまちその火に息を吹きかけた！」

「……しかも、それにたいして、フランスはなんとも納得できかねる同意をあたえた……」と、ジャックが注を入れた。「そして、フランスとロシアは、その薪の上に、久しいまえからかわかしてあった小さな薪の束を、いっしょになってほうりこんだ！」

「そしてドイツは？」と、ジュスランがたずねた。誰も答えるものがないのを見ると、彼はひとりで言葉をつづけた。「そのあいだ、ドイツは、冷然として、炎の燃えあがるのを、火の粉の飛び散るのをながめていた……何か下心があってのことだろうか？」

「当然さ！」と、ステュドレルがさけんだ。

「いや、それはおそらくばかだったからのことでしょう」と、ジャックが言葉をはさんだ。「ばかだったうえに、傲慢だったからでしょう！　というのは、ドイツは、愚かしくも、必要なときには烈火をせきとめ、延焼をくいとめ得るものとうぬぼれきっていたからです！」

「……そして、うまく焼栗をせしめようと思ってたんだ」と、ロワが言った。

「まさか！」と、シャール氏が、なさけなさそうにつぶやいた。

ジュスランは言葉をつづけた。

「あとに残るのはイギリスだ……」

「イギリス」と、ジャックがさけんだ。「ぼくの見るところではきわめてかんたんです。イギリスは、最初から、火事を消すにじゅうぶんなだけのたくさんな水を用意していた。ところが——状況悪化して——火の手がますます燃えさかり、延焼するにちがいないのを見てとった。だが、イギリスは、ただ《火事だ！》とさけんだだけで、用心して水門を開こうとしなかった！……この事実から見て、たといイギリスがいかに平和主義的に見せかけようとしても、後世の批判のまえには、陰険にも放火犯人の片棒をになったものとして判断されるおそれがあります！」

アントワーヌは、皿の上にうつむきこんで、聞いていないようすだった。

ステュドレルは、うるんだような大きな目をジャックのほうへ向けた。

「あなたとぼくとの意見のちがいは、ドイツの態度についての一点ですな！」そして、心の懊悩にたえられないといったように、その声は、たちまち熱に浮かされたような響きをおびた。

「ぼくは、ドイツに戦意があると見ています！」

「もちろんさ！」と、ロワがさけんだ。「ドイツは、シャルル・カン（カール五世）の夢、ナポレオンの夢を夢みているんだ！　公国領の戦争、サドワの戦い（一八六六年プロシャ軍大いにオーストリア軍を破る）、七〇年戦役（一八七〇年普仏戦争）、すべてヨーロッパ制覇への歩みの跡だ！　そして、その一歩一歩のあいだには、軍事的勢力の高度の増強をやってのけ、汎ゲルマン主義の目的を一日も早く達成しようとつとめてきたんだ！」

うつむいたまま、この長広舌の終わるのを待っていたステュドレルは、ふたたびジャックのほうへ身をよせかけた。

「そうだ、ぼくはドイツの厚かましい目算だとにらんでいるんだ！　ドイツこそ、楽屋にあって、そして事のはじめから、糸を引いてオーストリアを動かしてるんだ！」

ジャックは何か言おうとした。だが、ステュドレルは彼にそのひまをあたえなかった。彼は、はげしい心の動揺におそわれてでもいるようだった。彼は、ほとんどどなり立てるようにこう言った。

「見たまえ！　一目瞭然のことなんだ！　いったいオーストリアに、あの弱体なオーストリアに、単独で、ああしたちょうし、最後通牒といったようなちょうしをとることができただろうか？　しかも、列強こぞっての申し出にたいし、セルビアの回答に寸刻の猶予もゆるさないといったような拒絶の態度に出るなんて？　そして、なんの討議も行なわずに、あれほど和協的な回答を一蹴してのけるなんて？　じょうだんじゃない……そして、いっぽうドイツに戦争の下心がないとしたら、イギリスからのあらゆる提案にたいして——それが誠実であるかどうかは問題じゃない。要するに外交的には受諾できるものだったんだ——判で押したように反発をしめしつづけているというのはどうしたわけか？　しかも、ツァーの提案しているように、紛争をヘーグの仲裁裁判所に提訴するのをこばんでいるのは？」

「それも、だいたいわからないことではないんです」と、ジャックが口を出した。「ドイツは、ロシアの汎スラヴ主義の好戦的意図をすっかり見抜いていたんです。そして、オーストリア・セルビア間の紛争への列強の干渉は、こうした事実から考え、黙ってみているよりはずっと危険性が多いと主張していたのでした」

アントワーヌは、はげしく弟に反対した。

「外務省では、ぜったいドイツの平和的抗議には信をおいていなかったんだ。ずっとまえから、心証上の確信として……」

「心証上の確信！」と、ジャックが言った。

「……中欧帝国は、あらかじめ紛争のおこるのをさまたげたり、ないしおくらせたりするようなものを、すべて排斥しようと決心していると考えていたんだ」

そして、こうしたサロン政談にいらいらしてきたアントワーヌは、話をきっぱり打ちきるため、食卓の上にナプキンをおき、席を立った。

みんなもおなじように席をはなれた。

「これは忘れてならないことなんですが」と、ジャックは、食堂をゆっくり出て行きながらステュドレルに言った。「ドイツは、これまでにも、幾度か和協工作をしたのでした。だが、ロシア政府もフランス政府も、それに耳をかそうとしませんでした」

「見せかけさ！　そうさ！　ドイツとしては、何をおいても、ヨーロッパの世論をすこし手なずけておく必要を持っていたのさ！」

ジュスランは、公平な観察をくだした。

「だがね、セルビア膺懲(ようちょう)軍派遣の必要、紛争の厳密な局地的処理というドイツの主張には、ヨーロッパ戦争を引きおこそうなどという気持ちは少しもなかった……フランスにたいして戦おうなんて気持ちはさらにさらになかった」

「それに」と、ジャックは言った。「もしドイツが、真に戦争する意思を持っていたのなら、そしてフランスを粉砕しようと思っていたのなら、なぜあれほどぐずぐずしていたんでしょう？　最近の十五年、今日の場合にくらべてもっと有利なたくさんな機会を、なんで見のがしたりしたんでしょう？　たとえば一八九八年のファショダ事件を、一九〇五年の日露戦争を、一九〇八年のボスニアの危機を、一九一一年のモロッコ事件を、なぜ利用しないでいたんでしょう？」

「そんなことはつまらんことさ！」と、ステュドレルは、がんとしたようすでつぶやいた。そして、「そんなことはつまらんことさ」をくり返しながら、両のこぶしをポケットに入れた。

シャール氏は、ドアの前につっ立って、パンの一片をかじっていた。そして、身をせばめて、自分の前を通る一同をつぎつぎと通してやっていた。しんがりは、アントワーヌだった。シャール氏は、パンを見せながら目ばたきしてみせた。

「わたくしの死んだ父親も、これが好きでして。デザートには、パンの皮がなければすみませんでした……このわたくしもそのとおりで。これが何より好物でして」

そうした弱点をゆるしてやりたくなるような彼の微笑の中には、それでいて、こうした類の少ない趣味を持っていることをちょっと得意がっているらしいようすがうかがわれた。シャール氏は、あまり天真爛漫すぎることから、どうもけんそんにはなりきれなかった。

ジャックとジュスランとが、コーヒーのしたくのできている診察室にはいって行こうとしていたとき、ステュドレルはふたりのあいだに割ってはいって、ふたりのひじをひっつかんだ。そして、のぞきこみながら、心配そうな、ないしょ話といったようなちょうしで言った。

「つまらんことさ。議論だけなら、いつまでだってできるんだから。そして、どんなことでも理屈はつく！　つまらんことさ。われわれは、みんなドイツが悪い、われわれはだまされてる、と、思う必要を持ってるんだから。きょう、ぼくは新聞をひらくとする。まず第一にさがすのは、――正直なところ――ドイツの腹黒の証拠なんだ！」

「それはまたなぜさ？」と、部屋の戸口に立ちどまってジュスランがたずねた。

ステュドレルは目を伏せた。

「つまり目下の状況をがまんしようがためなのさ！　つまり、いったんドイツの悪いということを疑ったが最後、みんなは《われらの義務》と呼んでることなんか、とてもつくす気にはなれないだろうから！」

ジャックは、苦笑せずにはいられなかった。

「《愛国的》義務のことですか！」

「そうなんだ！」と、ステュドレルが言った。

「しかも、その名において何がなされようとしているかがわかったとき、あなたは、その義務なるものを尊敬する気におなれでしょうか？」

ステュドレルは、さも網にかかって身をもがくとでもいったように、両方の肩をゆすってみせた。

「ああ」と、彼は、おこったような、うったえるようなちょうしで言った。「これ以上頭をみだしてほしくないな！……ぼくたちはみんな、もし不幸にしてフランスがあしたにも動員令を出したとなったら、何を考えたところでぜったい逃げられないだろうことを知ってるのさ」

ジャックは、あわや口を開いて《ぼくはちがう！》と叫ぼうとした。そのとき彼は、部屋のまんなかにつっ立っていた兄が、こちらをふり向き、自分をじっとみつめているのに気がついた。われにもあらず臆した彼は、兄の目のふしぎな嘆願に打ち負かされ、そのまま口をつぐんでしまった。アントワーヌがはいって来て以来、ジャックは、兄の心にそれとくみとれる混乱に、胸を打たれていた。そして、心の底まで動かされていたのだった。――それは、死にかけている父のまくらもとで、それまで不屈の人のように見えていた兄が、とつぜんすすり泣きをはじめた晩にそっくりだった。

アントワーヌは、ふりかえった。そして、

「マニュエル君」と、言った。「コーヒーをついでくれないか？」

「それに」ステュドレルは、ますます熱をおびたちょうしで言葉をつづけた。「ぼくはこう考えるんだ。《ヨーロッパに大戦争がおこったら、平和な時の二十年の宣伝にもまして、おそらくずっと社会主義の勃興を促すことになるだろう》って」

「ぼくには」と、ジュスランが言った。「それがどういうふうにしてかのみこめないな！　なるほど諸君たちの理論家の中には、革命の勃発のために戦争の必要を説くものもいる。だが、ぼくはいつも、それはちょうどあのフィリップ博士がたくみに言っておられるように、ひとつの《理論的な考え方》

のように思っていたんだ。つまりそれは、軍隊下におかれた近代国家、動員された一国国民のなんたるかをぜんぜん知らないものの考えなんだ……自由な民主主義制度の下でさえまだ成功したことのない革命が、あらゆる革命家がすべて軍隊のわくの中に封じこめられ、個人についての生殺与奪の権を握っている軍の独裁下におかれたとき、はじめて可能になるなんて、まったく奇妙な考え方だ！」

ステュドレルは、それに耳をかしていなかった。彼は、ジャックをじっとみつめていた。

「戦争」と、ステュドレルは言った。「それもせいぜい三、四カ月のところだろう……しかも、そうした苦しい試練のあとで、ヨーロッパのプロレタリアがまえよりずっと強くなり、鍛えられ、統一されるとしたら？　そのあとで、帝国主義や軍備競争がまったく姿を消すとしたら？　そして諸国の民衆が、ついに揺るがぬ平和を、インターナショナルの中に平和を築くことができるとしたらどうだろう？」

ジャックは、がんとしてかぶりを振った。

「だめです！　そんなあやふやな美しい未来の夢は断然ごめんこうむります。そのために戦争をしなければということだったら！……暴力のまえに、そして流血のまえに、理性を失い、正義を失うくらいなら、ぼくはどんなことでも忍んでのけます！　そうした残虐、そうした愚劣、それよりむしろどんなことでも！　そうです、戦争にくらべればどんなことでも！」

黙って聞いていたロワが叫んだ。

「どんなことでも、って？……敵に攻めこまれて国土を占領されても？……それならそれで、平穏無事をねがうため、すぐさまドイツに、ムーズ県、アルデンヌ県、ノール県、それにパ・ド・カレ県を提供したらどうでしょう！　いけませんかな？　つまり、かっこうな海への出口もいっしょに添えてやることにしては！」

ジャックはそれとわからないくらいに肩をすくめてみせた。

「なるほどノール県の工業家たちの中には困るものも出るでしょう。だが、一つ虚心坦懐に考えていただきたい。労働者や鉱夫たちの大部分は、そうすることによって彼らのみじめな生活を本質的に変えられることになるでしょうか？　そして、彼らにたずねてみたとしたら、大部分のものが、戦場での名誉の戦死などより、そのほうがいいとは言いますまいか？……」ジャックの顔は、凛然（りんぜん）として、沈痛だった。「ぼくにはよくわかっているんです。あなたは、戦争と平和とを、国家生活における正常的な振子の運動のように考えておいでです……おそろしいことです！……そうした非人間的な振子の運動、それをぜったいとまらせなければ！　人類は、そうした血なまぐさいリズムから解放され、その活動力をよりよき社会の創造のほうへ自由に向けることができるようにならなければ！　戦争は、何ひとつ、人間の生活問題を解決しません！　何ひとつ！　それは、働くもののみじめな状態を、さらにはげしくするだけなのです！　戦争のあいだは、砲弾よけの一個の肉体、それがすめば、まえよりさらに酷使される一個の奴隷、これが働くものの運命なのです！」ジャックは、沈痛なちょうしでつけ加えた。「事はきわめて単純です。ぼくは、一国の民衆にとり、戦争の悪にまさる悪は何ひとつ――正確に何ひとつ！――存在していないと思うんです！」

「きわめて単純ですな」と、ロワが、冷然として言い放った。「しかも……ちょっと失礼な言い方かもしれないが……いささか単純すぎるとも思われますな！　まるで一個の国民は、戦いに勝ったあかつきにも、何ひとつ得るものがないとでもいったような！」

「何ひとつ！　ぜったいに何ひとつ！」

そのとき、きっぱりした、鋭いアントワーヌの声が聞こえた。

「無茶だ！」

ジャックは、はっとしてふり向いた。アントワーヌは、そのときまで、テーブルの前にすわり、うつむいて、手紙の封を切っているものとばかり思っていた。ところがじつは、数メートル離れたところで、話されていることの片言隻句まですっかり聞いていたのだった。彼はそこから、弟のほうを見ずにこう言った。

「無茶だ！　歴史的に言って無茶だ！　あらゆる歴史は……──ジャンヌ・ダルクからはじめて……」

「ほほう」と、ジュスランがひょうきんに言葉をはさんだ。「ジャンヌ・ダルクがいなかったら、イギリスとフランスとはひとつの国になっていただろうぜ……もちろんシャルル七世には、不名誉このうえもなかったろうが。だが、おそらく両国民には大いによかったにちがいない。いろいろな苦しめにも会わずにすんだことだろうから……」

アントワーヌは、肩をすくめてみせた。

「ジュスラン、じょうだんはよせ……きみはたとえば、サドワやスダンの戦いのおかげで、ドイツは何も得るところがなかったとでも言うつもりか？」

「ドイツが！」と、ジャックがそれに応じた。「ドイツ国民！　それはひとつの名称だけです……だが、民衆は？　ドイツ人、ドイツの一般民衆は？　はたして何を得ただろう？」

ロワが、からだを起こした。

「だが、もし一九一五年の復活祭までに——いや、あるいは、それよりももっとまえに！——フランスが勝利をしめてアルザス・ロレーヌを回復し、領土をライン川の自然国境よりずっと拡張し、ザール鉄鉱の富を併合し、アフリカにおけるドイツ領を奪って植民帝国を拡大し、そしてその兵力によって、ヨーロッパ最強の国家となった場合、フランス民衆は、その兵士たちを犠牲にして何も得るところがなかったと言えるでしょうか？」

ロワは、上きげんに笑いだした。そして、まさに相手を納得させたものと考えて、シガレット・ケースをとり出し、椅子を引きよせると向きを変えさせ、その上に馬乗りに腰をおろした。

「しかし、単純ではないんだ……しかし単純では……」と、ジャックのそばで考えこんでいるジュスランがつぶやいた。

「ぼくには」と、ジャックは彼のほうを向いて言った。そして声を低くしながら「暴力が認められません。たとい暴力にたいする場合でも！　ぼくは、心に、暴力の下地がひそみこみそうなわずかなすきまさえも残したくないのです！……ぼくは、あらゆる戦争を拒否します。たといそれが《正しい》にせよ、《正しからざる》にせよ！　たとえどんな戦争でも。どこの国がおこしたのか、どういう動機にでたものにせよ！」

興奮に咽喉をしめつけられて、彼は口をつぐんだ。《内乱にしても！》と、彼はかつてミトエルクのような、何でもやってのけようという革命家たちと戦わしたはげしい論争のことを思いだしながら考えた。（彼はそのとき、彼らに向かってこう言ったのだった。《ぼくは、これまで自分が命を賭してきた同胞愛の理想を勝利にみちびくためであろうとも、断じて憎悪や虐殺の連続にはたよりたくないと思っているんだ……》）

六十一

「しかし単純ではないな……」と、ジュスランは、身のまわりを重い眼差しで見まわしながらくり返した。

彼はちょっと言葉を切った。そして、いままでとちがったちょうしで、さもとりとめもない考えを追うとでもいったように、

「われわれ医者は、召集されても、少なくも血なまぐさいことはしないですむ……つまり、動員さ

れるとしても、人を殺すためでなく、人を助けるためなんだ……」

「そうだ、そうだ……」と、勢いこんでステュドレルが言った。そして、うるんだ目で、さも感謝するといったようにジュスランのほうを向いた。

「では、諸君がもし医者でなかったとしたら？」ロワは、つっかかるような好奇心を見せながら、ふたりの顔をかわるがわるみつめた。（みんなは知っていた。ロワは、軍官憲にたいして一度もその医師免状を利用したことがなかった。軍隊にいたあいだも、ほんのしばらく医務室にいただけで、あとは原隊復帰を申し出て許されたのだった。そして、彼はいま、歩兵連隊に予備少尉として籍を持っていた。）

「どうしたね、マニュエル君」と、アントワーヌが高い声で言った。「どうしてもコーヒーを飲ませてくれないつもりかね？」

アントワーヌは、論争をやめさせ、言い争っている連中を引きはなすため、どんな口実でもつかまずにはというようだった。

「ただいま、ただいま」と、ロワが言った。そして、いかにもスポーツマンらしく、いっぽうの足で椅子のもたれを乗り越えながら立ちあがった。

「イザーク君！」と、アントワーヌが呼んだ。

呼ばれてステュドレルはそばへ行った。アントワーヌは、彼の前に一本の手紙をだした。

「そら、フィラデルフィア研究所がとうとう返事をよこしたんだ……」そして、いつもの習慣で「整理箱行き」とつけ加えた。ステュドレルは、びっくりしたようすで彼をみつめ、それを受け取ろうとしなかった。アントワーヌは、顔をしかめてみせながら微笑した。そして、手紙をそのまま紙くずかごの中にほうりこんだ。

ジュスランとジャックとは、ふたりだけで大きな部屋の片すみに立っていた。

「医者であろうとあるまいと」と、ジャックは兄のほうを見ずに、だからといって、隣にいるジュスランだけに話すにしてはずっと張りのある声で言った。「召集に応じて動員される者は、すべて国家の政策に賛成するもので、その結果戦争までも承認する者なんです。だから、ぼくの考えでは、問題はすべての人にとっておんなじだと思うんです。政府から命令されたというだけで、そうした人殺しにひと役買うことが承知できるでしょうか？……たといぼくが……いまあるようなぼくでなかったとしても」と、彼はジュスランのほうをのぞきこみながら言った。「たといぼくが、従順な、国家の制度に満足している国民であったにしても、ぼくは、国家の条理が、このぼくに、ぼくが精神的義務と考えているところのものを侵させようとするのをがまんできません。自分の治めている国民の、その良心までも強制する権利があるかのように思っている国家には、国民の協力が得られるはずがありません。そして、まず第一に、個人の精神的価値を認めようとしない社会には、侮蔑と反抗だけしかむくいられないんです！」

ジュスランは首をふった。そして、

「ぼくは、猛烈なドレフュス方(一八九九年フランスで有名なドレフュス事件の当時、正義・人道の名によってドレフュスを支持したもののひとりだったの意)でしたよ」という言葉をもって返事に代えた。

机に向かって何かしていたらしいアントワーヌは、このときさっとふり返った。

「問題が見当ちがいだな」と、アントワーヌは鋭い声で言った。彼は、そう言いながら立ちあがり、弟を見ながら、ひとり部屋の中央まで進んだ。「わが国のような民主主義的な政府は——たといその政策が少数反対派の反対をうけているにしても——政府が政権を握っているということ自体、大多数の意思を正当に代表していることにほかならないんだ。動員されて召集に応ずるというのも、つまりそうした国民の総意に従うことなんだ。たとい、政権を握っている政府の政策にたいする個人的な意見がどうであろうと！」

「大多数の意見、というんだな」と、ステュドレルが言った。「だが、国民全部と言えないまでも、その大多数が、目下の場合、どうか戦争がないようにと望んでいるんだぜ！」

ジャックは言葉をつづけた。

「いったいなんの名において」と、彼は、直接兄に向かって言うのをさけながら、ちょっとまがわるそうにじっとジュスランを見つめながら言った。「そうした大多数が、いったいなんの名において、しっかり考えてみたうえでの、正当な主張までをも犠牲にし、また、きわめて神聖な自分自身の確信よりも、国民としての服従のほうを先にしなければならないのかしら？」

「なんの名において？」と、ロワは、まるで平手打ちでもくわされたように、急に身を起こして叫びたてた。

「なんの名において？」と、シャール氏の声が、おうむ返しにくり返した。

「社会契約の名においてなんだ」と、アントワーヌが、しっかりした声で言いきった。

ロワは、ジャックのほうを、つづいてステュドレルのほうを、文句があるなら言ってみろと言わんばかりにじっとみつめた。それから肩をすくめてみせ、くるりとかかとの上で一回転すると、窓のところ、遠くはなれた安楽椅子まで足早に歩いて行き、みんなのほうへ背を向けながら腰をおろした。

アントワーヌは、目を伏せながら、いらいらしたようすで茶碗のさじを動かしていた。心を落ちつけようとしているらしかった。

しばらくつづいた沈黙を、ジュスランが手やわらかに打ち破った。

「ぼくには、先生の言われることがよくわかりますな。そして、けっきょく、このぼくも、先生とおなじ考えのように思うんですが……現在の社会は、たとい欠点があるにせよないにせよ、われらにとって、すなわちわれら成年のジェネレーションにとって、現実の事実であることにちがいはない。それは、われらに先だつ何代かのジェネレーションが作りあげ、それを残しておいてくれた、すでにすっかりできあがった、そしてある程度堅牢な一つの壇とでもいったようなもの――つまり、その上に、われらが均衡を見いだすことのできているひとつの壇とでもいったようなものなんですな……ぼくも、そのことをじつにはっきり感じているんです」

「そうなんだ」と、アントワーヌが言った。そして、うつむいたまま、さじを動かしつづけていた。

「われらは、個人としては、弱く、孤立していて、何も持っていないんだ。われらの力にしても――われらの力の大部分、そして、われらがそうした力を有効につかわせてもらえているというのも――それは、われらをまとめ、われらの活動力に秩序をあたえてくれている社会的集団のおかげなんだ。そして、われらにとって、そうした集団は、現在の世界情勢から言って、けっしてひとつの神話的存在とは言われないんだ。それはひとつの特定なもの、空間において限定されているところのもの。そして、それこそは《フランス》の名によって呼ばれているところのものなのだ……」

アントワーヌは、悲痛な、だがしっかりした語調で、ゆっくり話していた。さも、ずっとまえから、いま話していることが準備されていて、いままさにそれを言うべき好機会をとらえたとでもいうようだった。

「われらはすべて国家的共同体の一員だ。その結果、われらは、実際的にその共同体に従属している。われらとその共同体――つまりわれらにわれらたることをゆるし、われらをしてほぼ完全に安らかな生活をすることをゆるし、そのわく内でわれらに文化人としての生活を営むことをゆるしてくれているその共同体――それとわれらとのあいだには、何千年という昔から、納得ずくでのひとつのきずな、ひとつの契約、われらすべてを拘束するひとつの契約が存在しているんだ！　これは好ききらいの問題ではない。事実の問題なんだ……今後人間にして社会生活をつづけていくかぎり、そうした社会にたいし、かって気ままに自分たちの義務から解放されようなどと考えることはゆるされないんだ。自分たちを保護してくれ、自分たちをその恩沢に浴させていてくれるそうした社会にたいして」

「だが、誰も彼もがそうしてもらっているわけじゃない！」と、ステュドレルが言葉をはさんだ。

アントワーヌは、ちらりと彼のほうを一瞥した。

「誰も彼もだ！　なるほど平等にとは言えないかもしれない。だが要するに誰も彼もだ！　きみもぼくも。無産者も財産家も。小使いだろうが上役だろうが！　つまり、われらがおなじ共同体の一員として生まれたという事実によって、われらはすべてそこにひとつの地位を持ち、その地位によって、われらのおのおのは毎日利益を得ているんだ。その利益の反対給付として、社会契約の遵奉ということが生まれてくる。ところで、その契約の最大の条項のひとつは、われらが共同体のおきてを尊重するということ、たとい個人として自由に考えてみた場合、そうしたおきてが常に必ずしも正しくないように考えられるときでも、なおかつそれに従わなければならないということなんだ。そうした義務を放擲すること、それは、たとえば、わがフランスといったような国家共同体をして、ひとつの均衡のとれた、生きた有機体たらしめているところの制度機構に割れめをつくることにほかならない。つまり、社会機構を揺りうごかす結果になるんだ」

「なるほど！」と、ジャックは低い声で言った。

「さらに言えば」と、アントワーヌは、おこったようなちょうしで言葉をつづけた。「それは、前後の見さかいのない行動と言わなければならない。というのは、それは、個人の真の利益に反して行動することにほかならないからだ。すなわち、そうした虚無主義的反抗から生まれてくる混乱は、個人にとって、たとい不完全なおきてであろうと、そうしたおきてに服従するより以上に、きわめて不祥な結果をもたらさずにはいないからだ」

「どうだかな！」と、ステュドレルが大きな声でさけんだ。

アントワーヌは、ふたたびステュドレルのほうへ一瞥を投げた。そしてこんどは半歩ばかり前へ進んだ。

「国民としてのわれらは、個人としては認めないおきてにたいしてさえ、つねに服従すべきではないだろうか？　しかも国家は、それにたいして戦うことをゆるしてくれている。すなわちフランスには、いまもなお思想の自由と文書による発表の自由がゆるされている！　しかも、選挙と法的闘争の武器さえあたえられている」

「じょうだんじゃない！」と、ステュドレルが反撃した。「フランスでの普通選挙なんて、それはとんだまやかしものさ！　四千万のフランス人のうち、選挙権を持っているものは千二百万にさえたりない！　六百万足す一票、つまり投票の半数さえあったら、それで大胆にも最大多数と呼ばれるものができあがるんだ！　すなわちわれらは、六百万人の意思に服従させられている三千四百万の大ばか者というわけなんだ。しかも、その六百万の投票が、大部分どういうふうに得られていると思う？でたらめだ、酒場政談にあおられてだ！　そうだ、フランス人にはなんら政治的実権をあたえられていない。彼らは、政治形態を変革する方法をあたえられているだろうか？　彼らに押しつけられる新しい法律を否定し、ないし論議する方法をあたえられているだろうか？　フランス国民の名によって締結され、紛争の結果、命を落とさなければならなくなるような同盟条約の場合でさえ、国民はなんの相談にもあずかっていないんだ！　これがフランスでの、国家主権と称しているものの正体なんだ！」

「異論がある」とアントワーヌは、きっぱりしたちょうしで修正意見をだした。「このぼくは、きみが言うほどすべてを奪われているとは思っていないんだ。もちろん社会生活の個々のできごとについて、個人的に意見を徴されてはいない。だが、もし共同体にして、ぼくの気に入らないような政策をとった場合、ぼくは、その政策を議会でたたいてくれるであろう人々に自由に投票することができるんだ！……だが、ぼくの投票が、それまで大多数の意思を代表していた連中を政権から追っぱらい、それに代えるにぼくの望むように国家政策を変えてくれるような人々を選出することができる日までは、このぼくとしての義務はきわめて明瞭だ。しかも、それはなんら異議をゆるさないもの。すなわち、ぼくは社会契約によってしばられている。従って、ぼくは忍ばなければならないんだ。従わなければならないんだ」

「Dura lex（ラテン語。《悪法》）もまた lex（法）なり」と、みんなが黙っているところへ、シャール氏が、もったいぶったちょうしでささやくように言った。

ステュドレルは、部屋の中を縦横に歩きまわっていた。

「目下の場合」と、彼はぶつぶつ言っていた。「問題は、動員されながらそれに服従しないものがあることによって引きおこされる革命的混乱が、その悪の程度において……」

「……たとえ短期間の戦争であろうと、それにくらべてずっと少なくはないだろうかという点にあるんだ！」と、ジャックが結んだ。

部屋のはずれのほうで、ロワがからだを動かした。そして、椅子のバネのきしむのが聞こえた。だが、彼は何ひとこと言わなかった。

「ぼく自身としては」と、落ちついたちょうしでジュスランが言った。「ぼくも先生と同意見ですな。ぼくは従うだろうと思いますな……だが、ぼくには同時に、こうした非常時にあたり、すなわち現在われらをおびやかしているような事変勃発の前夜にあたり、こうして服従するというのが、ほかの者たちにとっては、ひとつの承服できない……非人道的な義務のように思われることもわかるんです」

「逆だ」と、アントワーヌが言った。「個人として時局の重大性を認識すればするだけ、それだけ義務もまた重いと考えなければならないじゃないか！」

アントワーヌはちょっと言葉を切った。そして、飲まないでいたコーヒーを盆の上におろした。その顔は緊張し、声は震えをおびていた。

「ぼくは、幾日かまえから、そのことについて考えている」と、彼はとつぜん、苦しそうなちょうしで告白した。その声のちょうしを聞いて、ジャックは思わず兄のほうへ顔をあげた。アントワーヌは、しばらくのあいだ、おや指と人さし指をまぶたに押しあてていたあとで、顔をあげ、なにかしら奇妙な、燃えるような眼差しを弟の上にそそいだ。それから、一語一語力を入れて、

「もし今夜にも、大多数によって選ばれた政府によって――たといそれがおれの投票に反したものであったにせよだ――動員令が発せられたとなった場合――ぼく自身として戦争について意見があり、

あるいは自分が、少数の反対派の一員であるにもせよ、たちどころに契約を破棄する権利、すべての人々にとって、同一の義務——すべての人々にとってぜんぜん同一な義務を回避したりする権利は持てないと思うんだ！」

ジャックは、ほとんど口をはさもうという気持ちもなしに、自分に向けられたそうした言葉に耳をかしていた。彼は、アントワーヌの論旨に反発を感じるというより、そうした独断的な肯定のかげにふるえている、いかにも人間的な、心情を吐露したちょうしに、われ知らず胸を打たれていた。兄と自分との態度がいかに対立的なものであったにせよ、この場合、彼は、アントワーヌが論理的であり、彼自身にきわめて忠実であることを考えずにはいられなかった。

とつぜん、アントワーヌは、まるで誰かが彼の所説にはげしく反対してでもいるかのように、両腕を組みながらこうさけんだ。

「そうだ、いざ戦争になるときまでの……単にそのときまでの国民だなんて、それはあんまり虫がよすぎる！……」

そのあとに引きつづいた沈黙には、とりわけ重くるしいものがあった。

ジュスランは、この場の空気を見てとって、この辺で話題を転換させたほうがいいと思った。彼は、うちとけたちょうしで、さもこれで論争も終わり、みんなの意見も一致したというかのように、結論がわりにこう言った。

「けっきょく、先生の言われるとおりだと思いますな。社会生活というやつは、ばくちみたいなものなんです。どちらかひとつを選ばなければ。ご規則をそのままちょうだいするか、それでなければ国家においとまごいを申しあげるか……」

「ぼくはちゃんと選んでいます」と、ジャックは、彼のそばで、声を低めてささやいた。

ジュスランは、軽く向き直ると、われにもあらず、注意ぶかく、感動をこめて、一瞬ジャックの顔をみつめた。まのあたり見るジャックをとおして、ひとつの悲痛な運命を、ちらりと見せられたような気持ちだった。

つるりとしたレオンの顔が、戸のすきまからのぞきこんだ。

「あちらからお電話でございます」

アントワーヌはふり返った。そして、寝ていたところを急に起こされでもしたように、まつげをしばだたかせながら、じっとレオンの顔をみつめた。《また彼女からか》と、やっとのことで思いついた。

「よしよし。いま行く」

アントワーヌは、目を伏せ、心配そうな顔をしながら、なおしばらくのあいだじっとしていた。それから、ゆっくりと、部屋を出て行った。

《何を言いだすことだろう?》アントワーヌは書斎にはいって行きながら考えていた。《あなたは、わたしがきらいにおなりになったのね!……まえのように好きでいてはくださらないのね!》……あらゆる女にとって、いやおうなしにそう言わなければならない時がくるのだ！……《好きでなくなった》、それを女に言ったら、相手はさだめし驚くにちがいない……だが、それは女のほうでなく、むしろこっちのほうなのだ！　それは、女を前にして、変わってしまったこっちのことにほかならないのだ……女としては《もうわたしを好きでいてくださらないのね》と言うかわりに、《あなたは、ふたりがいっしょになってからのあなたご自身がきらいにおなりになったのね……》とでもいうべきなのだ。

アントワーヌは電話の前に立っていた。そして、考えもせずに受話器を手にした。

「トニー、あなた？」

彼ははっとして、何かしら反発とでもいったようなものを感じた。知っているその声、知りすぎるほど知っているその声、歌っているような低いその声、わざとやさしそうにとりつくろっているその声を前にして、彼はじっとして、返事をしようという決心がつかなかった。冷たい怒り……二日このかた、彼は女から女の魔法から解放されたものとばかり思っていた。解放されただけではない、洗われたといった気持ちだった……そうだ、何かよごれとでもいったようなものを、洗ってもらえた気持ちだった……彼はシモンのことを思い浮かべた。いや、すべては終わってしまっているのだ。もやい綱は、はっきり断たれてしまっているのだ。何をいまさら？

アントワーヌは、受話器をそっとテーブルの中央においてひと足すさった。受話器の中には、霰（あられ）たばしるような音が聞こえていた……臨終のあえぎといったような、息切れのした、しゃくりあげるようなひびき……それはいかにもむざんだった……だが、いまさらそれもしかたがない！　どんなことがあろうと、よりをもどしてなるものか……

だが、アントワーヌは、診察室へもどろうとはしないで、廊下へ向かったドアまで行って鍵をかけ、ディヴァンまでもどってくると、タバコをとり出して火をつけた。そして、沈黙に返った受話器が、まるで死んだへびとでもいったように身をくねらせ、きらきら光ったままおかれているテーブルのほうへ一瞥を投げてから、椅子の上にならべてあるクッションに、ずっしり重く身をよこたえた。

診察室の暖炉の前、ステュドレルと向かいあったシャール氏は、おしゃべりすることができ、人に聞いていてもらえることのうれしさから、なんのことかわからぬなぞのような言葉で、自分の商売のことについて説明しようとしていた。

「新しい思いつき、奇想天外の思いつき、小発明というようなものでしてな……いつも新しいものをねらうこと、これが店のモットーでして……え？　まず、A・C、すなわち好事家協会（Association des Chercheurs）の会報というやつをお届けしましょう……おわかりねがえることでしょう。すでに、即応の処置もいたしてあります……なにしろ戦争ということでは……方面を変えようと思っておりますよ……お国のためというわけでして……誰も彼もが、持ち場持ち場でやらなければ……え？」（シャール氏は、さも相手のとっさの質問を聞きもらしでもしたかのように、心配そうにたえず聞きかえしていた。）「発明家連中、はやくもすばらしいものを持ちこんできております」と、シャール氏は、息もつがずに言葉をつづけた。「くどい説明は省略しますが……たとえばこれなぞ、《泥水・雨水兼用携帯濾過器》とでも申せるもので……戦場でいたって重宝……兵士たちのからだをいためるような悪い黴菌は何から何まで……」彼はちょっと得意そうな笑いを浮かべた。「それに、さらにすばらしいのは、自動発射器付きの自動照準器というやつなんで……目のわるい歩兵たち……それに砲兵のためにも重宝でしてな……」

しばらくまえから、自分の席で、このわけのわからない言葉に耳をかしていたロワは、このときさっと立ちあがった。

「自動って？　いったいどういう？」

「それなんですよ」と、得意になってシャール氏が言った。「そこが得も言われないところでしてな」

「でも？　どういうしかけのものなんです？」

シャール氏は、断固たる態度で答えてのけた。

「ひとりでにいくんでございますよ！」

ジャックとジュスランは、書棚のすみ、おなじところに立ったまま、声を低めて話しあっていた。

「何よりもたまらないのは」と、ジャックは、ひたいに一本憤慨のしわをよせながら言っていた。

「それは、そのうち必ず、しかもきわめて近き将来において、兵役というもの、軍旗を先頭にした各国民というもの、これまでまるで一点疑う余地のないもの、なんら問題のない神聖なもののように思われていたものが、たちまち理解できないものになる日がやって来るだろうと思われるからのことなんです！　兵役を拒んだというので、社会権力が、ひとりの人間を銃殺する権利を持っていたなんていうのが、まったく考えられなくなるようなそうした日が！……ちょうど昔、宗教上の信念を理由として、ヨーロッパにおける何千という人間が、裁判にかけられ、拷問にかけられたというのが、ぼくらにとってまったく信じられないのとおんなじように……」

「謹聴！　謹聴！」と、ロワがさけんだ。

彼は、テーブルの上から、その日の新聞を一紙とりあげ、うわのそらのようすでそれを読んでいたが、やがて、こっけいなちょうしで、高い、はっきり聞きとれる声で読みあげた。

《当方子供ひとりの新家庭。庭園あり、かつ、釣魚に適する川に近き、静かなる小住宅を向こう三カ月借り受けたし。なるべくノルマンディまたはブールゴーニュ地方を望む。新聞社気付三八一四番にお申しこしをこう》

ロワは、あかるい笑い声をたてていた。まさにこんにち笑ってなんぞいられるものは、彼をおいてほかになかった。

「まるで夏休みを迎える中学生といった浮かれ方ですな」と、ジャックがつぶやいた。

「真の英雄といった浮かれ方ですよ」と、ジュスランが訂正した。「楽しさなきところ、ヒロイズムなし。あるものはただ暴虎馮河の勇のみ……」

シャール氏は時計をとり出していた。そして、時刻を見るまえにいつもするように、さも聴診をする医者とでもいったように目を据えながら、ちょっとその《小さな奴さん》の音に聞き入っていた。それから、まゆげをつりあげ、眼鏡の上から、

「一時三十七分」と、言った。

ジャックははっとした。

「おそくなりました」と、彼はジュスランの手を握りながら言った。「ぼく、帰ります。兄きを待たずに」

ディヴァンの上に横になっていたアントワーヌは、玄関のところで、レオンが階段へ案内して行くジャックの声のするのを聞きつけた。

アントワーヌは、あわただしくドアをあけた。

「ジャック！……おい……」

そして、ジャックがおどろいて自分のほうへやって来るのを見ると、

「もう行くのか？」

「うん」

「ちょっとおはいり」と、アントワーヌは、ジャックの肩に手をふれながら、落ちつかない声で言った。

ジャックは、兄とふたりきりで話したさに、このユニヴェルシテ町の家に来たのだった。彼は、自分の財産をどう処理したかを兄の耳に入れておきたかった。彼としては、兄に隠れたことをしたくないと思っていた。さらに彼はこう考えていた。《ことによったら、ジェンニーのことも話しておこうか……》すでに時間もせまっていたが、ジャックは喜んで兄と話すことにした。そして、兄の書斎へはいっていった。

アントワーヌはドアをしめた。

「なあ」と、兄は椅子に腰もおろさずに言った。「ひとつまじめに話してみたい。きみはいったい……どうしようと思ってるんだ?」

ジャックは、おどろいたようすをした。そして、それにはなんとも答えなかった。

「きみは兵役免除になっている。だが、いざ動員というときには兵役免除者もすべて再調査をうけることになるだろう。そして、誰も彼もが、みんな戦線へ送られることになるんだ……きみはいったいどうするつもりだ?」

ジャックには嘘がつけなかった。

「ぼくは何も考えていない」と、ジャックが言った。「いまのところ、ぼくは法律上やつらの網からはずれているんだ。ぼくにたいして、どうすることもできないんだ」そして、じっと見すえている兄へたいして、彼は冷ややかなちょうしでつけ加えた。「このことだけは兄さんに言えるな。動員されるくらいなら、ぼくは両手を切ってもかまわないんだ」

アントワーヌは、ちょっとのあいだ目をそむけた。

「そういう態度、それはきわめて……」

「……卑怯だと思った？」

「いや、そうは思わなかった」と、いつくしむようにアントワーヌが言った。「だが、たぶん、きわめて利己的な態度と言えるだろうな……」そして、ジャックがたじろがないのを見てとると、彼はそのまま言葉をつづけた。「ちがうかな？　こうした時期に兵役を拒絶する、それはつまり、個人の利益を全体の利益よりも重く見ていることだと思うな」

「国家的利益よりも、というだけなんだ！」と、ジャックが言い返した。「全体の利益、大衆の利益は、明らかに平和にあるんだ。戦争にはないんだ！」

アントワーヌは、あいまいな身ぶりをした。それはさも、もう理論闘争はごめんこうむりたいと思っているかのようだった。だが、ジャックは執拗に食いさがった。

「全体的な利益――ぼくは拒絶することによって全体的利益に尽くしていると思っているんだ！　ぼくははっきり感じている――一点の疑いもなく感じている――こんにち、ぼくの中にあって拒んでいるところのもの、それこそいちばん正しいところのものなんだ！」

アントワーヌは、じりじりしてくるのをおさえていた。

「ま、考えてみるがいい……そうした拒絶によって、いったいどういう実際的な結果が得られるんだ？　いわく、ゼロだ！……国をあげての動員だというとき、絶対多数が——まさにそれにちがいなかろう——国家防衛の義務を受諾するとき、たったひとりが反抗したって、そんな無意味な、そんな失敗の見えすいたことはなかろうじゃないか？」

言葉のちょうしはつとめて注意がはらわれており、そこには温情があふれていたので、ジャックはぐっと心を打たれた。彼は、きわめて落ちついたようすで兄をみつめた。そして、親しみをこめた微笑のかげさえ浮かべた。

「なんでまた、兄さんはそんな話をするんだ？　ぼくの気持ち、わかっていると思うんだが……ぼくには、政府が、ぼく自身罪悪と考え、真理、正義、人間連帯を裏切るものと考えているようなことをやらせようとするのがぜったいがまんできないんだ……ぼくにとって、ヒロイズムとは、ぜったいロワさんの考えているようなものではない。ヒロイズムとは、銃を手にして戦線に駆けつけることではない！　それは戦争を拒否すること、悪事の片棒をかつぐかわりに、むしろすすんで刑場にひっ立てられて行くことなんだ！……夢を見ているような犠牲的精神だって？　そんなことがどうしてわかる！　戦争を可能ならしめたもの、そしていまもなおそうさせているもの、それは群集の無知蒙昧な服従なんだ……ひとりぼっちでの犠牲だって？　それもしかたがなかろうじゃないか！……《否》と言いきるだけの勇気のあるやつが少なかろうと、それは何ともしかたがない。つまり」と、彼は言いかけてためらった。「つまり、腹のすわっているやつは、めったに見つからないからなんだ……」

アントワーヌは、つっ立ったまま、気味のわるい不動の姿勢で耳を傾けていた。目にみえないほど、まゆげの線がふるえていた。彼はじっと弟を見すえ、眠ってでもいるかのように、短く息をついていた。

「なるほど、動員令を向こうにまわして、ひとりでなり、ないしひとりに近い人数でなり、それに立ち向かおうというのは、並々ならぬ精神力が必要だろうな」と、アントワーヌはやさしく言った。「だが、それこそは、なんにもならない力というべきなんだ……壁に打ちあたってむなしく砕けるような力なんだ！……確信をもって戦争を拒み、そうした確信のために銃殺される人間、ぼくはその男に向かってあらゆる同情と憐愍(れんびん)とを惜しまない……だが、そうした男は、なんにもならない空想家だ……おれは、そうした男がまちがっていると思っている」

ジャックは、さっき《いったいどうしたらいいと言うんだ？》と言ったときのように、軽く両腕をひろげてみせただけだった。

アントワーヌは、ちょっとのあいだ、だまって弟のほうをながめていた。まだあきらめてはいないのだった。

「事実は厳としてそこにある。そして一刻の猶予もゆるされないんだ」と、彼は言葉をつづけた。「事態の重大さは——事態はもはや何人(なんぴと)の手にも属していない——そうだ、事態の重大さは、あすにでも、国家をしてわれらを思いのままにさせるところまできているんだ。きみはいったい、いまの場合、国家がわれらに課している束縛が、われらの個人的意思と一致するかどうかを吟味しているべき時だと思うか？　断じてしからず！　責任ある者が事を決し、責任ある者が命令する……ぼくの仕事の場合でも、ぼくが適当だと思って緊急な手当を命じたうえは、人にとやかく言わせはしない……」

アントワーヌは、その手を無器用らしくひたいのところへあげ、指をちょっとまぶたの上においてから、苦しそうに話をつづけた。

「よく考えてみるがいい……戦争に賛成するかしないかの問題ではないんだ——おれが賛成するとでも思っているのか？——ただ戦争を受諾するという問題なんだ。当人の性質いかんで、あるいは反感をもってしてもいいだろう。だが、それはあくまで心の中での反感であり、それを義務の観念でおさえなければならないのだ。危険にのぞんで協力を惜しむこと、それはとりもなおさず共同生活を裏切ることにほかならない……そうだ、それこそは真の裏切りであり、同胞にたいする罪悪であり、連帯の義務を忘れたことにほかならない……おれは何も、政府がとろうとしている決心について、それを論議する権利までも認めないと言うのじゃない。ただ、それはあとになっての問題なんだ。服従してからの問題なんだ」

ジャックは、ふたたび口もとに微笑を浮かべた。

「ところがぼくは、個人は、国家同士がそれをふりかざしてたがいに戦争をする国家的主張なんていうものにたいして、ぜんぜん無関心でいてもいいと思うんだ。たとい理由はどうであっても、ぼくは、国家が人間の良心を蹂躙する権利を否定する……ぼくとしては、こんな大げさな言葉をつかうのは大きらいだ。だが、まさにそれにちがいないんだ。ぼくにあっては、あらゆる日和見的な理屈などより、ぼくの良心の声のほうがずっと大きい。それにまた、法律なんかより、良心の声のほうがずっと大きいんだ……暴力によって世界の運命を蹂躙させないたったひとつの方法は、自分自身、あらゆる暴力を肯定しないことにある！　人を殺すことを拒絶すること、ぼくは、これこそ尊敬さるべき高貴な精神の一場合だと信じている。もし法典や裁判官にしてこれを尊重しなかったら、まさにあわれむべきものといわなければならない。おそかれ早かれ、思い知らされるにちがいないんだ……」

「わかった、わかった……」と、アントワーヌは、話がまたもや一般論に向いていくのにじりじりしながら言った。そして、腕組みしながら「だが、実際上はどうなるかな？」

アントワーヌは弟のほうへ歩みよった。そして、彼としてはめずらしく、きわめて自然なようすで、両手でやさしく弟の肩をつかんでやった。

「きみの返事が聞きたい……動員はあしただ。きみはいったいどうするつもりだ？」

ジャックは、べつにいらだっているようすもなく、ただ断固たる態度で身をふりほどいた。

「ぼくは、戦争反対の闘争をつづける！　最後まで！　あらゆる手段をつくして！　あらゆる！……必要とあらば……革命的サボにうったえても！」ジャックは、われにもあらず声を落とした。彼は、息がつまりでもしたように言いよどんだ。「ぼくは……さあ……」と、彼はちょっと口をつぐんでから言葉をつづけた。「だが、兄さん、このことだけははっきり言える、ぜったい言える。兵士になる？　そんなことはぜったいごめんだ！」

ジャックは、これを最後に、むりに微笑してみせた。そして、軽く別れのあいさつをしてから、兄のほうでも引きとめようとしないままに、ドアへ向かって歩いて行った。

六十二

ジャックは、家にいるジェンニーを見いだした。ひとりで、ちゃんと着物を着て、すぐ出かけられるばかりといったようす。顔は緊張して、とても興奮しているようすだった、母からはなんのたよりもなく、ダニエルからもたよりがなかった。あれやこれやと、ただ迷いに迷っているありさまだった。彼女は、新聞の報道におびえていた。それに、ジャックの来かたもおそかったし。モンルージュ町での警官との一件をおぼえていた彼女は、ジャックの身に何かおこったにちがいないと思っていた。ジェンニーは、ひと言も口に出せずに、彼の腕に身を投げ入れた。

「じつは」と、ジャックは言った。「オーストリアでの外国人の身の上について、何か聞きこみたいと思ったものだから……つごうのいいように考えていたところで何にもならない。あっちには、戒厳令がしかれているんだ。もちろんドイツ人には、まだ国へ帰ることが許されている。それにイタリア人にも。イタリア、オーストリアの関係は、ずいぶん緊張してはいるけれど……だが、フランス人は、イギリス人は、ロシア人は！……もしママが、五、六日まえにウィーンを発っておいでたいとしたら――そうだったらもう帰って来ておいでのはずなんだ――おそらく手おくれにちがいない……どうやらお発ちになれないだろう……」

「発てなくなるんですって？　それはどうして？　刑務所にでも入れられて？」

「なあに！　つまり、汽車に乗る許可が得られなくなるというだけなんだ……一週間か二週間。つまり事件がどちらかへきまるまで。戦争か平和かがきまるまで……」

ジェンニーは、なんとも返事をしなかった。彼女はジャックが自分の前にいてくれるだけで、とやかく想像することの苦しみからは救われていた。彼女はジャックに身をよせながら、きのう以来、ふたたびくり返してもらえるのを待っていた深々としたキスに、心おきなく身をまかせた。そして、ようやく身をふりほどいた彼女は、つぶやくようにこう言った。

「ジャック、もうひとりではいられないわ……つれてって……お別れするのはいや！」

ふたりは、リュクサンブール公園のほうへ歩いて出かけた。

「メディシス町の四つかどから電車に乗ろう」と、ジャックが言った。

時間にもかかわらず、この日公園にはほとんど人影がなかった。思いだしたように吹いてくる微風が、樹木のこずえをそよがせていた。花壇からは、カーネーションの重いにおいが立ちのぼっていた。花壇のふちに据えたベンチの上には、まわりからずっと離れた男女の一組が、その顔の、いずれが男、いずれが女とも見わけられないほどたがいにからだをよせあって、愛のふるえであたりをいっぱいにしてでもいるようだった。

鉄柵の向こうには、いつものままのパリの町が見えていた。戦争のおびえに身をかがめている熱っぽいパリの町。その物音さえ、この晴れわたった夏の午後、世界の果てから果てにかけて取りかわされるおそろしいニュースのこだまそのもののように思われた。わずか二日で、せっかく夏休みにはいっていたパリの町は、たちまち元の人口をとりもどしていた。新聞売りは、声高く号外とさけびながら四つかどを横切っていた。ジャックとジェンニーが電車を待っていると、駅の二頭立ての乗合馬車がふたりの前を通って行った。中には、両親はじめ、子供たちや、女中たちがぎっしりつまっていた。屋根の上には、高く積みあげられた荷物のあいだに、乳母車、えび取り用の網、ビーチ・パラソルなどが見えていた。

「運命をものともしない連中だな」と、ジャックがつぶやいた。

スフロ町、ブールヴァール・サン・ミシェル、メディシス町では、あとからあとからの人波だった。それでいて、それは仕事日の勤勉なパリでもなければ、日曜日、おりからの好天気にのらくらしているパリでもなかった。それは、急にかきまわされた蜂の巣とでもいったようだった。通行の人たちは、誰も彼もが、せき立てられているようにいそぎ足で歩いていた。だがそのうつけたようなようす、左に行こうか右に行こうかとまどっているすがた、それは、彼らの中の大部分が、どこへ行こうとするのでもないことを語っていた。自分自身と――それに世界と向かい合っていることができないままに、彼らは、家をはなれ、仕事をはなれ、ただのがれよう、たといちょっとのあいだでも、自分の心の重荷を、町を流れている同胞たちの不安の波にまかせようと、ただそれだけを望んでいるのだった。

その日の午後、ジェンニーは、黙って、影のように彼によりそいながら、カルティエ・ラタンからバティニョルへかけて、グラシエールからバスティーユへかけて、ベルシー河岸からシャトー・ドーヘかけて、ジャックのあとについていった。いたるところで、おなじような報道、おなじような論議、おなじような憤激の声が聞かれていた。それでいて、すでにいたるところで、おなじように肩をおとし、おなじあきらめの気はいがしめされていた。

ときどきふたりきりになったとき、ジェンニーは、まったくなにげないといったように、自分のこと、天気のことなどを口にした。《あたし、ヴェールをつけてきたりしてばかだったわね……向こうがわへ渡って、あの花屋さんを見ないこと？……暑さもやっとおさまってくれたわ。ほら、ようやく息がつけだしたわ……》そうしたむじゃきな言葉、花屋の店も、ヨーロッパ問題も、この日の気候も、すべてをたちまち同列においてあやしまないジェンニーを見ると、ジャックはいささかいらだたしくならずにはいられなかった。彼はジェンニーのうえに、冷ややかな、重い眼差しをそそぎかけた。そして、ジェンニーは、その眼差しの、暗い、さみしそうな光に会うと、たちまちどぎまぎせずにはいられなかった。ジャックはときおり、しんみりした気持ちになって顔をそむけた。そして、心の中にたずねてみた。《こんなことに、かかわりあわせていいのだろうか？……》

C・G・Tの廊下で、ジャックは、偶然出会った仲間のひとりが、好奇的なきびしい目をじっとジェンニーのうえにそそいでいるのに気がついた。ジャックはすぐに、ほこりっぽい踊り場の上、労働者たちの中にまじって、ぴったりあったタイユールを身につけ、顔には紗のヴェール、そしてものごしなり、顔なり、なんとはっきりは言えないが、彼女の社会独特のにおいと影とを発散しているジェンニーのすがたを見た。ジャックは、なにか気まずい感じだった。そして、彼女を促して外へ出た。ちょうど七時が鳴っていた。ふたりはいくつかのブールヴァールを抜けて取引所近くの町までいった。

ジェンニーは疲れていた。ジャックのからだから発散し、彼女を圧倒していた生命力は、同時に彼女の力という力をもすっかり疲れさせてしまっていた。彼女は、かつてメーゾン・ラフィットでジャックのそばにいたとき、彼がいやおうなしに相手にたいして求める強靱な緊張感のため、その声なり、執拗な眼差しなり、急激な変化をみせる考え方なりによって、ほとんど他人に強制するかのように思われる緊張感のため、これとおなじような疲労感、過労感を味わわされたことを思いだした。

『ユマニテ』社のそばまで来たとき、向こうからかけてくるカディウと行き会った。

「いよいよやったぞ」と、カディウがさけんだ。「ドイツは動員した！　ロシアの思いがかなったんだ！」

ジャックは、はっとからだをすくめた。だが、カディウは、すでにはるか向こうへ走り去っていた。

「たしかめてみなければ。そこで待っててくれたまえ」（ジャックには、編集室にジェンニーをつれてはいることがためらわれた。）

ジェンニーは、往来を向こうへ渡って行き、人道の上を行きつもどりつ歩いていた。ジャックが姿を消した建物の戸口からは、まるで蜂の巣さながら、たえずたくさんな人が出はいりしていた。

三十分ばかりして、ジャックはもどってきた。まるで顔つきが変わっていた。

「公報だった。ドイツからきたニュースなんだ。グルーシェ、サンバ、ヴァイヤン、ルノーデルたちにも会ってきた。みんな、あそこで詳報を待っている。カディウとマルク・ルヴォワールは、外務省と社とのあいだを駆けまわって連絡している……ロシアが軍備を促進しているんで、ドイツも動員を決意したんだ……はたしてほんとの動員かな？ ジョーレスは、ちがうと言う。ドイツ語でいわゆる Kriegsgefahrzustand（戦時態勢）というやつなんだ。これは、ドイツ憲法にも、ちゃんと認められているものらしい。ジョーレスは、辞書を手にして逐字訳をこころみてる。《戦争の危険状態……戦争の脅威状態……》《おやじ》はとてもすばらしいや。断じて絶望していない！ 彼は、ブリュッセルからもたらした信頼感、ハーゼやドイツの社会主義者たちからあたえられた信頼感を持ちつづけている。そして、くり返しこう言ってる。《彼らにしてわれらと同調している以上、事態はぜったい絶望的とは言われないぞ！》」

ジャックは、ジェンニーの腕をつかんで、足早に、どこというあてもなくひっぱっていった。ふたりは、立ちならぶ町の家並みのまわりを幾度となく歩きまわった。

「フランスはどうするつもりなのかしら？」と、ジェンニーがたずねた。

「緊急閣議が四時に召集されたらしい。公報によると、《国境保護のための必要処置》が議題にのぼったそうだ。アヴァス通信は、きょうの午後、援護部隊が前哨陣地についたと伝えている。いっぽう、参謀本部は、敵に衝突の口実をあたえないため、国境全域にわたって何キロかの空白地帯を残しておくつもりだとも言われている……ドイツ大使は、いまなおヴィヴィアニと会談中だ……ドイツ事情に明るいギャロは、とても悲観説をとなえている。彼によると、言葉のうえに夢を持ちすぎてはいけないというんだ。Kriegsgefahrzustand というのは、公式の動員発令に先だつ、仮装的動員方法にほかならないということなんだ……いずれにせよ、ドイツはいま戒厳令下にある。というのは、新聞にも箝口令（かんこうれい）が施（し）かれ、戦争反対のあらゆるデモも、ドイツではできないということなんだ……ぼくにとって、これがいちばんの重大問題かもしれない。頼むところは、民衆の蜂起だ……ステファニーは反対に、ジョーレスとおなじく、楽観説を固持している。彼らによれば、カイゼルは、動員令を出すかわりに、こうした予備的手段に出て、まだ平和確保の意思のあることをしめしている、というんだ。それもたしかにもっともらしい考えにはちがいない。ドイツは、こうしてロシア政府にたいし、和協的態度に出るための、そしてあるいは動員取消しをするための、最後の綱をあたえているということになる。きのう以来、カイゼルとツァーとのあいだには、私信の電報が息つくまもなくとりかわされているらしい……ぼくがステファニーのところを出ようとしたとき、ジョーレスはちょうどベルギーからの電話によび出されていた。彼らは、何か重要なメッセージに望みをかけているらしかった……ぼくはそのまま出てきてしまった。きみがどうなったかを知りたいと思って……」

「わたしのことなんか心配しないでよ」と、勢いこんだようにジェンニーが言った。「早くあそこにいらしって。わたし、お待ちしているわ」

「あそこで？　往来に立ったまま？　だめだ！　せめてプログレ亭へ行って腰をおろしていてもらおう」

ふたりは、サンティエ町のほうへ向かっていそいで歩きだした。

「よう！」と、誰かの太い声が言った。

ジェンニーはふり向いた。するとふたりのうしろに、印刷工の着る黒いブルーズに身をつつみ、髪をふり乱した老キリストとでもいったような男の姿が目にはいった。ムールランだった。

ジャックはすぐに言った。

「ドイツが動員した！」

「ふふん、知ってるさ、知ってるさ……そうなることと知ってたんだ！……」と言ってつばを吐いた。「こうなったうえはしかたがねえ……ぜったいしかたがねえ！……当分なんともしかたがあるめえ！　何から何までぶちこわしだ。文明なんざあ、これですっかり消えてなくなる。新しく、小ざっぱりしたやつを作りなおすさ！」

しばらく沈黙がつづいた。

「プログレ亭へ行くかい？」と、ムールランがたずねた。「おれも行くとこだ」

三人は何ひとことも口をきかずにしばらく歩きつづけた。

「けさ言ったことを考えてみたかね？　ズラからねえのか？」と、ムールランが言った。

「まだだ」

「それはどうともご随意だが……」と、ムールランは言いよどんだ。「ちょっと連盟へよってみたんだ……」彼は、ジェンニーのほうへさぐるような一瞥を投げた。そして、ジャックのうえに射とおすような眼差しを見すえた。「ちょっと話があるんだが」

「聞かせてもらおう」と、ジャックが言った。そして、ジェンニーの前腕に手をのせて、さらにはっきりこう言った。「友だちだ、なんの遠慮もいらないんだ」

「よし」と、ムールランは言った。そしてたこのできた二本の指をジャックの肩にあてながら、声を低めて「重大な情報だ。きのう、陸軍大臣は、ブラック・リストに載ってる要視察人逮捕の命令に署名したんだ」

「ほほう……」と、ジャックが言った。

ムールランは、そうだといったようにうなずいて見せた。そして、歯と歯のあいだに口笛のような音を立てさせた。

「身におぼえのある連中は用心することだ！」

ムールランは、ジェンニーがさっと顔色を変え、自分の顔をみつめているのに気がついた。彼は、ジェンニーのほうへ微笑してみせた。

「心配することあないさ、娘さん……何も今夜ひとりのこらず銃殺されようなんていうんじゃない……ただ万一のため、その命令が出されたんだ。つまり、おれたちを追っ払いたくなったとき、そして誰はばからず大戦争をおっぱじめたくなったとき、特高のやつらにその命令を実行させさえすればいいだけなんだ……郊外のほうでは、もうデカがだいぶ動いている。『赤旗』なんかも、家宅捜索をやられたらしい。そして『闘争』社も。イスザコウィッチは、けさピュトーでの手入れで、あぶなくあげられるとこだった。フュゼは、たたきこまれている。あの《血まみれの手》、ほら、参謀本部をやっつけたポスターを書いた男だというんでにらまれたんだ……えらいことになってくるぜ。しっかり覚悟をきめるんだな」

三人は、プログレ亭へはいっていった。ジャックは彼女を、ほとんど人けのない階下の部屋にかけさせた。

「いっしょに何か?」と、ジャックが言った。

「いや」ムールランは、天井のほうを指した。「ちょっと上へ行って風を入れてくる……けさから、上ではずいぶんばかを言いあってるこったろうな！……じゃあ！」ムールランは、ジャックの手を握ると、も一度つぶやくようにくり返した。「嘘は言わねえ。ずらかれよ！」

立ち去るまえに、ムールランは、親しみのこもった、思いがけない微笑をふたりへ送った。ふたりの耳には、小さい螺旋階段をきしませながらあがって行く彼の足音が聞こえていた。

「あなた、今夜はどこに泊まるつもり？」と、おびえながらジェンニーがたずねた。「ゆうべ、番地を教えてしまったあのホテルはだめね？」

「なあに！」と、ジャックはのんきそうな返事をした。「ブラック・リストに載せるほど、買いかぶられているかどうかさえ問題なんだ……」そして、ジェンニーの心配そうな目つきを見ると言葉をつづけて「それに、心配はいらない。ぼくはもうリエバールのところへ行こうなんて思っちゃいない。旅行カバンは、けさムールランのところに預けておいた。それに、身につけていてあぶないような書類は、きみのところにおいた包みの中にいれといた」

「そう」と、彼女はジャックをみつめながら言った。

「うちだったら、なんの危険もありはしないし」

ジャックは立ったままだった。彼はひとつだけ茶を命じた。だが、それがジェンニーのところへ持ってこられるまで待っていられなかった。

「ここにいてくれる？　ちょっと『ユマニテ』社に行ってくるから……ここから動かずにね」

「帰ってくるわね？」と、ジェンニーは、おしころされたような声で言った。急にこわくなってきたのだった。彼女は、悲しそうなようすを見せまいとして目を伏せた。と、自分の手の上に、ジャックの手のおかれたのを感じた。彼女は、これを無言の非難のように感じて、思わず顔を赤らめた。

「いまのはじょうだん……さあ、わたしのことなんか心配しないで……」

ひとりになった彼女は、はこばれてきた茶を幾口か飲んだ。カモミーユのにおいのする、にがい茶だった。やがて、茶碗を向こうへおしやった彼女は、ひんやりしたテーブルの大理石の板の上にひじをついた。

すっかりあけひろげた入口からは、町の物音とともに、目のくらむような日の色が、鏡や、ガラスの陳列棚や、真鍮の棒や、カウンターのマホガニーなどをきらきらさせながらさしこんでいた。そうしたいろいろなものの照りかえしの中で、スタンドのうしろでは、泉のようなひびきを立てながら、主人がびんをすすいでいた。あたりのテーブルの上には、新聞がちらばっていた。ジェンニーは、何を考えるともなく、あたりを見まわしていた。疲れきった頭の中には、子供らしい気がかりとか、暗い考えとか、急に思いだした心配ごととかが、まるで亡霊のように立ちまよっていた。彼女は、自分のそば、長椅子の上にまるくなっているねずみ色のねこの上に注意をあつめようとした。寝ているのかしら？　目はつぶったままだった。だが、耳だけは動いていた。とりわけ、眠ろうとして緊張しているらしいようすだった。このねこもまた、ヨーロッパの空におぼろげながら立ちまよっている危機を感じているのだろうか？　折りまげた足のさきはぐったり投げだされていたが、そこには何かわざとらしさがうかがわれた。寝ているのだろうか？　それとも、たぬきをきめているのだろうか？　とすれば、いったい誰をだまそうと思って？　おそらくは自分で自分を？……日が暮れかかっていた。おりおり、人々が、とりわけ労働者たちが、はいって来たかと思うと主人となれなれしく眼差しをかわし、ホールを通って、中二階のほうへあがって行った。二階のドアがあけられるごとに、ひとしきり、物音やはげしい論争の声が、どっと外からのざわめきにまじって聞こえてきた。

「ただいま！」

ジェンニーは、はっとさせられた。帰って来るのが見えなかったからだった。

ジャックは、彼女のそばに腰をおろした。ひたいには、びっしょり汗をかいていた。頭をひと振りふると、彼はたれさがる髪をうしろにはねのけ、ひたいの汗をハンケチでふいた。

「やっさもっさの騒ぎの中に、すばらしい、とてもすばらしいニュースがはいったんだ！」と、彼は声をひそめて言った。「電話がかかった。ブリュッセル経由の、ドイツ社会民主党からのメッセージだ。彼らは、闘争を思いとどまっていないんだ。その逆だ！　ジョーレスは正しい。彼らこそは兄弟なんだ。ぜったいしりごみしないだろう！　向こうでも、われらとおなじくおびえている。そして、この際いっそう接触を密にして、共同行動に出ようとしている。だが、戒厳令下のドイツのことだし、われらとの連絡はきわめて困難になろうとしている。そこで、ベルギーを通って、代表委員ヘルマン・ミュラーを送ってよこすことになった。あしたパリにつくんだが、もちろん大きな権限をあたえられているにちがいない。フランス社会主義者の面々と、戦争反対の、きわめて大がかりな直接行動の打ちあわせをするために来るんだろう。わかるかね？『ユマニテ』社では、誰も彼もが、この思いがけない使節のこと、ミュラーとジョーレス――このふたりのプロレタリアの、あした行なわれる重大会見のことで夢中になっている！……もちろん、ふたりのあいだで最終的決心がされるらしい！　ステファニーの話によると、けっきょくのところ、両国のあいだで、労働者階級の大々的な決起をはかるという考えらしい。ちょうどよかった！　いまならまにあう。ゼネストをやったら、まだまだ見こみがあるんだぜ！」

ジャックは、相手に熱意を感じさせずにはおかないといったような、興奮した口調で早口に話した。

「《おやじ》は、あした、痛烈な論文を出すつもりでいる……ゾラの『われ非難す』（ドレフュス事件の際、ゾラがドレフュスの無罪を論じ『オーロール』紙上に発表して痛烈に軍部を告発した論文）とまさに好一対の大論文を！……」

彼は、ジェンニーの眼差しによってしめされた漠とした問いかけの色に、こうした比較が——もっともそれは彼自身の思いつきによるのではなかった。ギャロの秘書のパジェスの言ったものだった——彼女の心に、なんらはっきりした観念をよびさませなかったのを見てとった。そして、しばらく、いまなお自分と彼女とをへだてているところのものをひしひしと感じた。

「ジョーレスと話していらしったの？」と、彼女はむじゃきに問いかけた。

「いや、きょうは話さなかった。だが、ジョーレスが社から出るとき、ちょうどパジェスといっしょに階段のところにいたんだ。ジョーレスは、いつものように、友だちたちにかこまれていた。そしてみんなに、こう言っているのが聞こえた。《見ていてもらおう、いま言ったことをみんなあしたの論文に書くんだ！　責任者全部を槍玉にあげてやる！　今度という今度、知ってるかぎりをぶちまけてやる！》そして大将、たしかに笑っていたらしい！　そうだ、たしかに笑っていた！　彼独特の笑い方、善良な巨人の笑い、たくましい笑い……さて、そのあとでこう言った。《だが、まず第一に食事をしよう。近いところがいいだろうな？　アルベール（クロワサン亭のマネージャー）のところ……》」

ジェンニーは、目をすえながら黙っていた。

「どう？　ジョーレスをそばで見たくない？」と、ジャックが言った。「クロワサン亭へ行って何かたべよう。あれがジョーレス、と教えてやろう……ぼくも腹が減っている。ぼくたちにしても、当然食う権利があるんだからな！」

六十三

もう九時半をまわっていた。おおかたの常連はすでに帰ってしまっていた。ジャックとジェンニーとは、あまり客のいない右手のほうに席を占めた。

ジョーレスと仲間たちとは、入口の左手、モンマルトル町と平行して並んだ、いくつかのテーブルをつなぎあわせて席についていた。

「見えるかい?」と、ジャックが言った。「長椅子の、ほら、まんなかのところ。窓に背を向けて、そら、マネージャーのアルベールと話をしようとして振りかえった」

「たいして心配しているらしくもないじゃないの?」と、ジェンニーは、おどろいたようなちょうしで言った。それがジャックをうれしくさせた。彼はジェンニーのひじをつかむと、それをやさしく握りしめてやった。

「ほかの人たちも知ってる?」

「知ってるさ。ジョーレスの右がフィリップ・ランドリウ。左のふとったのがルノーデル。ルノーデルの前がデュブルイユ。そしてデュブルイユのとなりがジャン・ロンゲ」

「女の人は？」

「ポワソン夫人だと思うんだが。ランドリウの前にすわっている人の夫人だ。その隣が、アメデ・デューワ。すぐその前がルヌー兄弟。そしていまやって来てテーブルのそばに立っているのがミゲル・アルムレーダの友だちで、『赤旗』の寄稿家……名まえは思いだせないが……」

ぱんという短い音、パンクしたタイヤの音、ジャックは、はっと口をつぐんだ。つづいて、ほとんどときをおかず二度めの銃声。そして、ガラスが割れた音。部屋の奥では、鏡が一枚、微塵になっていた。

一瞬ぼうぜんとしたあとで、わっという騒ぎ。部屋じゅうの人は、立ちあがって、鏡のほうを向いていた――「鏡に一発打ちこみやがった！」――「誰だ？」――「どこからだ？」――「往来からだ！」ボーイがふたり、入口のほうへ飛んでいった。そして、がやがやさわいでいるおもてのほうへ飛びだした。

ジャックは、本能的に立ちあがっていた。そして、ジェンニーを守ろうと腕を前へ差しのべながら、目でジョーレスを求めていた。一瞬ジョーレスが目にはいった。《おやじ》のまわりには、その友人たちが立っていた。だが、ジョーレスだけは、落ちつきはらって、いままでの席にかけていた。ジャックの目には、何か落としたものを拾おうとでもするかのように、静かにこごみかけるジョーレスが見えた。だが、それきり姿は見えなかった。ちょうどそのとき、マネージャーの女房のアルベール夫人が、ジャックの食卓の前を走りながら通っていった。そして、さけんでいた。

「先生が撃たれた！」

「じっとしておいで」ジャックは、ジェンニーの肩に手をあてて、むりにすわらせてやりながらささやいた。

ジャックは、《おやじ》のテーブルのほうへかけていった。そこからは、息を切らしたような人々の声が聞こえていた。――「医者を早く！」――「警察へ行け！」一団の人々は、立ったまま、大げさな身ぶり手まねをしながらジョーレスの仲間たちを取りまき、人々の近づくのをゆるさなかった。ジャックは、ひじでかきわけ、テーブルをぐるりとひとまわりして、部屋のすみのところまでもぐりこんだ。こごみこんだルノーデルの背中になかば隠れて、ひとつのからだが、レザー・クロースの長椅子の上に横たえられていた。ルノーデルは身を起こすと、テーブルの上に血に染まったナプキンを投げだした。ジャックははじめて、ジョーレスの顔を、そのひたいを、そのひげを、なかば開かれた口を見た。気絶しているにちがいない。顔は青ざめ、目は閉じられていた。

食事をしていたひとりの男――たしかに医者にちがいない――が、とりまいている人々の円陣を破った。彼は、容赦なしに、ネクタイをむしり取り、襟をひらき、たれている手をとって脈をしらべた。

ざわめきを静めている声が聞こえた。「静かに！……しいっ！……」人々の目は、ジョーレスの手首を握っているこの見知らぬ男のうえにいっせいにそそがれていた。男は、何ひとこと言わなかった。そして、うつ向いていた。だが男は、予言者らしい顔をなげしのほうへ振りあげながら、目をしばだたいた。彼はそのままの姿勢で、誰のほうを見ることなく、しずかにかぶりをふってみせた。

やじ馬の波が、往来からどっとなだれこもうとしていた。

アルベールの声がひびきわたった。

「ドアをしめろ！　窓をしめろ！　ブラインドをおろせ！」

押しよせる人波、ジャックは部屋の中央までおしもどされた。友人たちは、ジョーレスのからだをかつぎあげると、丁寧に、テーブルふたつをいそいで並べた上へ移した。ジャックは見ようとした。だが、撃たれたジョーレスのまわりには、ますます厚く人がきがたたんでいた。白い大理石の一角と、大きなほこりをかぶった靴底の立っているのがわずかに見られただけだった。

「どいた、どいた！　お医者さんだ！」

アンドレ・ルヌーが、おりよく医者を見つけてきたのだった。ふたりは、人ごみの中にのまれてしまった。そしてふたりが通ったあとを、弾力性をもった人だかりが、たちまちぴたりととざしてしまった。人々は「医者だ……医者だ……」と、ささやきかわしていた。長い時がすぎていった。不安な沈黙。やがて、みんなのうつむいている首筋に、一条の戦慄が走ったように思われた。そしてジャックは、いままで帽子をかぶっていた人たちが、いっせいに帽子を脱ぐのを見た。低くくり返される短い言葉が、口から口へと伝えられた。

「死んだ……死んだ……」

ジャックは、涙にあふれる目をあげて、ジェンニーをさがそうとふり返った。ジェンニーは、合図があったら、すぐにも飛んでいこうと身がまえていた。そして、人々のあいだを巧みにすりぬけ、彼のところまでたどりつくと、物をも言わず腕をつかんだ。

警官の一隊がやって来ていて、店から人々を追いだしにかかっていた。ジャックとジェンニーは、たがいにしっかりよりそいながら、その騒ぎに巻きこまれ、おされ、こづかれて、入口のほうへ流されていった。

ふたりが入口から出ようとしたとき、警官たちとかけあっていたひとりの男が、まんまと店の中にはいってしまった。ジャックは、それが社会主義者のひとり、ジョーレスの友人アンリ・ファブルであるのを見てとった。まっさおな顔。そして、つぶやくようにこう言った。

「どこにいる？　病院へ運んだのか？」

誰も答えるものはなかった。誰かの手が、おずおず部屋の奥のほうをさししめした。ファブルはふり向いた。がらんとした部屋の中央、あからさまな電気の光は、大理石のテーブルの上、まるでモルグ（パリにある身元不明の死体収容所）におかれた死体とでもいったように、黒い着物につつまれている人を照らしていた。

外では急ごしらえの整理班が、店の前、四つかどの往来をさまたげている群集を散らすのに懸命だった。

ジャックには、警官たちと何か論じあっているジュムランとラップが目にはいった。ジャックは、かじりついているジェンニーのかじを取ってやりながら、ふたりのそばまで行くことができた。ふたりは社から来たところで、さっきのできごとは見ていなかった。だが、ジャックは、ふたりの口から、往来にいた犯人が、あいていた窓から、どういうふうに銃口をつきつけて発射したのか、ちょいと追跡されたあとで、どういうふうにして通行人の手におさえられたのかを教えてもらった。

「何者だった？　そして、いまどこにいる？」

「マイユ町の警察だ」

「行ってみよう」と、ジャックはジェンニーを促し立てた。

警察の前はいっぱいの人だかりだった。ジャックは、記者手帳を出してみせたがだめだった。誰も入れてもらえなかった。

ふたりが帰りかけたとき、カディウが、帽子もかぶらず警察の門をかけながら出て来た。ジャックは、行きすぎようとするカディウをとらえた。ふり向いたカディウは、自分を呼んだのがジャックだと気がつくまでに（しかも、彼とは、ついいましがた『ユマニテ』社の前で話しあったばかりなのに）しばらくおろおろながめていたが、やがて、つぶやくようにこう言った。

「やあ、チボーか？……これが最初の血祭りなんだ……最初の犠牲だ！……さて、次の番は誰かな？」

「やったやつは？」と、ジャックがたずねた。

「知らないやつだ。ヴィランていうんだ。あってみた。二十五ぐらいの若僧だ」

「だが、なんでまたジョーレスを？　なんでまた？」

「愛国主義者にちがいない！　気ちがいだ……」

カディウは、ジャックのつかんでいたひじをふりはなすと、そのままかけて行ってしまった。

「も一度あそこへ行ってみよう」と、ジャックが立った。

ジェンニーは、ジャックの腕にもたれて、ひとことも言わず、緊張しながら、おなじ歩調で歩こうとつとめていた。

ジャックは彼女のほうをうつむきこんだ。

「疲れているんだな……どこかその辺で、静かにさせてあげようか？　あとから迎えにくることにして……」

ジェンニーは、感動と疲労で、まるで病人のようになっていた。だが、おりもおり、こうしたときに彼のそばを離れるなんて……ジェンニーは、返事もせずに、まえよりぴったりよりそった。ジャックもむりにとは言わなかった。こうした生きいきした彼女のぬくみを、われとわがそばに感じること、それが絶望とたたかうためのささえにもなってくれていた。そして、ジャックとしても、ひとりでいたくはなかったのだ。

夜は、重くるしい感じだった。アスファルトが臭くにおっていた。モンマルトル町のぐるりは、往来という往来が、歩いている人間たちでまっ黒だった。交通は遮断されていた。人間のふさが、窓という窓にたれさがっていた。顔見しりでもない通行の人たちが、たがいに「ジョーレスがやられましたな！」と、言いかわしていた。

警官隊による警戒線は、クロワサン亭の前あたりからだいたい人々を追っ払い、事件のうわさがまるで電流のような早さで行きわたった町々から、人々の波がなだれのようによせかけてくるのを、ずっと遠くでくいとめようとつとめていた。

ちょうどふたりが四つかどのところまで来たとき、馬に乗った近衛兵の一隊が、サン・マール町からくり出してきた。その一隊は、ヴィクトワール町の交通を、まず株式取引所のあたりまで解放した。それから広場の中央に来て展開すると、しばらくのあいだ馬を旋回させ、やじ馬の群れをまわりの家々のそばまで圧迫した。混雑のおかげで——臆病な連中は横の往来に逃げこんでいた——ジャックとジェンニーは、第一列まで乗りだすことができた。ふたりの目は、鉄のブラインドをおろした暗いカフェーの正面にそそがれていた。警官によって守られ、警官の出入りだけにあけられている入口の戸のすきまからは、ときおり、灯火にぎらぎら照らされた部屋がうかがわれた。

次々と、二台のタクシー、それに兵士たちを乗せた何台かの官庁用の箱自動車が、遮断線を越えて到着した。整理班指揮の中尉の敬礼をうけながらおり立つ人々は、あわただしくカフェーの中へ姿を消し、そのうしろからドアがすぐにとじられた。その名を知った人々は、たがいにそれをささやきかわしていた。「警視総監だ……ポーリ博士だ……セーヌ県知事だ……検事局長だ……」

やがて、ヴィクトワール町から、ひっきりなしに明るい鈴の音をひびかせながら病院車が一台、小さな馬に速歩をふませてあらわれた。しばらくのあいだ、しんとした。警官たちは、馬車をクロワサン亭の入口のところに横づけにさせた。四人の看護人は、車道に飛びおりると、馬車の後部の戸をあけたまま店の中へはいっていった。

十分ばかりの時がたった。

群集は、いらいらしながら、足を踏み鳴らして立っていた。「何をぐずぐずしてるんだ！」——「だって、検視をしなければなるまいし！」

とつぜんジャックは、ジェンニーの指が、自分のそでをかたくつかんだのに気がついた。クロワサン亭の戸が、ひろびろとあけられたところだった。みんなははっと口をつぐんだ。アルベールの姿が、人道の上にあらわれた。カフェーの中は、まるで礼拝堂のようにあかあかと灯火に照らされ、そこには、黒い服装の警官たちがうごめいていた。警官たちは、さっと両側にわかれてかきをつくり、そのあいだを、棺のくるのが見えた。棺には白い布がかけられていた。帽子をかぶらない四人の男が、棺をかついでいた。ジャックはそれがいつも見なれたルノーデル、ロンゲ、コンペール・モレル、テオ・ブルタンであるのを見てとった。

広場では、そこにいた誰も彼もが、みんないっせいに帽子をとった。一軒の家の窓からは、はばかりがちな《犯人をやっつけろ！》の声がおこって、それが夜空のほうへのぼっていった。

白い棺は、ゆっくりと、それをかつぐ人の足音の聞きわけられるほどの静けさの中を、戸口を出ると、人道をわたり、しばらくゆらいでいると見るまもなく、さっと病院車の中に見えなくなった。ふたりの男がすぐに乗りこむ。警官がひとり、御者の隣によじのぼった。つづいて、ドアをしめる音がはっきり聞こえた。そして、馬が動きだし、自動車に乗った警官の一隊にとりまかれた馬車が鈴を鳴らしながら株式取引所のほうへ進んで行ったとき、とつぜんおこった、重い、波のうねりのようなざわめきが、かぼそい鈴の音を消してしまった。それは四方八方から一度にわきあがり、いままでおさえにおさえられていた人々の心を解き放った。――「ジョーレス万歳！……ジョーレス万歳！……ジョーレス万歳！」

「『ユマニテ』社まで行ってみよう」と、ジャックがささやいた。

だが、ふたりのまわりの群集は、まるで根がはえてしまっているようだった。人々の目は、警官に守られた、暗い、神秘な店の正面へ向かって執拗にそそがれていた。

「ジョーレスが死んだ……」と、ジャックはつぶやいた。そして、ちょっと間をおいてからくり返した。

「ジョーレスが死んだ……信じようにも信じられない……とりわけ、その結果について、いったいどう考えたらいいんだろう？　どう予想したらいいんだろう？」

少しずつ、おしあっていた人々の列がゆるみはじめた。そして、からだを動かすことができるようになった。

「行こう」

だが、クロワサン町まで、どうして行ったものだろう？　四つかどをかためている遮断線を突破することなど、考えてみるだけの意味さえなかった。同様に、モンマルトル町を通って、ブールヴァールへ出ることも絶望だった。

「いそがばまわれだ」と、ジャックが言った。「フェードー町からヴィヴィエンヌ町をとおることにしよう！」

ふたりが、ヴィヴィエンヌ通りを出て、モンマルトル通りの雑踏の中にはいったと思うと、力強い群集のいきおいが、たちまちふたりを突きとばし、ふたりをぐんぐんひっぱっていった。

ふたりは、デモのまっただ中に巻きこまれてしまっていた。愛国青年たちの隊列が、国旗を振りまわし、声をかぎりにラ・マルセイエーズをどなりながら、通りもせましとあふれかえり、ゆくてのすべてをおしながす奔流のようないきおいで、ポワソニエール通りから流れ出ていた。

「ドイツを倒せ！……カイゼルを倒せ！……ベルリンへ！……」

ジェンニーは、人波におしあげられて、あわやからだの平均を失いそうになっていた。ジャックからひきはなされ、あわやみんなの足の下に踏まれるかと思った。彼女は恐怖の声をあげた。だがジャックは、彼女の胴に腕をまわし、しっかりわが身にだきしめた。ジャックは彼女をだきかかえ、しまっていた大きな車馬出入口の門のところまでつれて行った。彼女は、群集の足ぶみのためのほこりで、目をあけることもできず、はげしい怒号や歌声で耳も聞こえず、わめき立てながら、気ちがいじみた目つきをわが目すれすれに投げかけていく人々の顔におびえながら、やっと手の届きそうなところに真鍮のにぎりのあったのに気がついた。彼女はとつぜん、自分にのこっている全身の力をふるいおこし、腕をのばして、たったひとつの救いででもあるかのようにそのにぎりをしっかりつかんだ。おりもよし、彼女はまさに、気を失いかけていたのだった。ジェンニーは目をつぶった。だが、真鍮のにぎりをつかんでいた手だけは、しっかり握って放さなかった。彼女の耳には、息をはずませてくり返すジャックの声が聞こえていた。「しっかりだかれているんだぜ……こわくはない……ぼくがつかまえていてやるから……」

何分かの時が流れ去った。そして、騒ぎも遠のきつつあるらしかった。ジェンニーは、目をあけた。そして、自分にほほえみかけていてくれるジャックを見た。人波は、ふたりのそばをなおも流れつづけていた。だが、まえよりゆるやかになり、波の間隔も間遠になり、怒号の声も聞かれなかった。デモ隊というより、やじ馬の隊列とでもいうようだった。ジェンニーは、まだ身ぶるいがとまらなかった。そして、息をつく気になれなかった。


「元気をだすんだ」と、ジャックがささやいた。「ほら、もうおしまいだ……」

ジェンニーは、手をひたいにあて、帽子をかぶりなおしながら、ヴェールの破れているのに気がついた。《ママになんて言おうかしら？》彼女は、うわのそらのようにそう思った。

「ここを出よう」と、ジャックが言った。「歩く元気がある？」

いちばんいいのは、人波のあとについて行き、横町を見つけて逃げだすことだった。ジャックは、すでに『ユマニテ』社へ行ってみることをあきらめていた。ちょっとのあいだ、われ知らぬ不満の気持ちもないではなかった。だが、今夜の彼には責任があった。かよわい、貴いものをひきうけているのだ。彼は、ジェンニーの神経が、その抵抗力の限界に達しているのを見てとっていた。そして彼女を、天文台通りの家まで、送って行ってやることだけを考えていた。ジェンニーは、彼にささえられ、導いてもらうままになっていた。いまではもう、虚勢を見せていなかった。《わたしのことなどかまわずに……》とくり返しさえもしていなかった。彼女が、全身の重みをジャックの腕に託し、すべてをまかせきっているところ、われにもあらず、いかに疲れているかをしめしていた。

ふたりは、とぼとぼと、株式取引所の広場までいった。だが、一台のタクシーにも会わなかった。車馬人道の区別なく、歩いている人たちでいっぱいだった。パリ全市が、外へ出ている感じだった。映画館では、映写の途中、暗殺のニュースが伝えられた。そして、どこもかしこも、大きな不安のうちに閉館した。ふたりを追い越して行く人たちは、声高に、誰もおなじことを話していた。ジャックには、すれちがいざま、こうした言葉のはしが耳にはいった――「きょうの夕方から、ガール・デュ・ノール（北部駅）とガール・ドゥ・レスト（東部駅）を軍隊が占領している……」――「何をぐずぐずしてるんだ？　なんで一刻も早く動員を……」――「事ここに至ったら、そうだ、奇跡でもなければ、とても……」――「おれはシャルロットに電報を打って、子供たちをつれてあした帰ってくるように言ってやった……」――「おれは、こう言ってやったんだ。奥さん、あなたに二十二になる息子さんでもおありになったら、とてもそんなことをおっしゃるはずはありますまいよ、ってね!!!」

新聞売りが、群集のあいだを縫って走っていた。

「ジョーレスの暗殺！」

取引所広場の駐車場へ行っても、一台の車も見あたらなかった。

ジャックは、鉄柵の土台石に、ジェンニーをひとまず腰かけさせた。そして、彼女のそばに、首うなだれたまま立っていた。彼は、も一度、

「ジョーレスが死んだ……」と、つぶやいた。
ジャックは心にこう思った。《誰があした、ドイツ代表に会うことになるんだ？　そして、誰がわれらをまもることになるんだ？　おそらくジョーレスこそ、絶望することのなかったたったひとりの人なのだ……政府が沈黙させることのできなかったたったひとりだ……おそらく、まだ動員をせきとめることのできるたったひとりの人だったのだ……》
人々は、せわしそうに郵便局へはいって行っていた。そこの明るい窓々からは、灯火が道を照らしていた。そここそは、ジェローム・ドゥ・フォンタナンが自殺をはかった晩、そして自分がふたたびジェンニーに会えた晩、彼がダニエルあての電報を打ちに来たところだった……まだ二週間にもならないまえに！……新聞売場の店先には、おだやかならぬ見出しをつけたたくさんな号外が並んでいた《全欧州武器を執らん……》《情勢刻々悪化の一方……》《エリゼー宮にて閣僚会議。ドイツの挑戦的態度にたいし最後決定を見ん……》
ひとりの酔漢が、ふたりの前を千鳥足で通りながら、酔いどれ声をふりあげて「戦争なんて、くそくらえだ！」とどなっていった。ジャックは、今夜、こうしたさけびを聞いたのが、これがはじめてであるのに気がついた。そのことから結論するのは、いささか児戯に類してもいるだろう。だが、事実はきわめて明らかだった。ジョーレスの遺骸を前にしながら、いたるところの大通りで《ベルリンへ！》とさけぶ愛国者たちを前に見ながら、こうした反抗の声を口にしたものといってはひとりもいなかった。しかも、おとといまで町なかのあらゆるデモの機会に、それはきわめて簡単にさけばれていたのに！

あいたタクシーが、広場の向こうを通りかかった。数人の声がそれをよんだ。ジャックはいきなりかけ出し、そのステップに飛び乗ると、車をジェンニーの前へまわして来させた。

ふたりは、ひとこともいわず、たがいに身をよせながらそれに乗った。珍事をのがれたあとのような気持ちで、ふたりはひとしく、おなじような不安、おなじような絶望を感じていた。だが、車の中に身をおいて、ふたりはようやく、敵意をふくんだ世界からふたりだけになれたように思った。ジャックは、彼女をかかえていた。そして、力いっぱいだきしめていた。疲れきっていたにもかかわらず、ジャックは、そこになにかしら矛盾するような興奮の気持ち、いつもにましたはげしい生の意欲を感じていた。

「ジャック」と、ジェンニーが、耳に口よせてささやいた。「今夜どこに泊まるつもり？」そして、準備しておいた言葉を口に出すとでもいったように「家にいらっしゃいな。家だったら、すこしもあぶなくないし。ダニエルのディヴァンに寝かしてあげるわ」

ジャックは、すぐには返事をしなかった。彼は、指で、ジェンニーの手をいじっていた。それは、いつものように、抵抗のない、おとなしやかな手とちがって、燃えるような、いらいらした、生気あふれた、愛撫をし返しでもするような手だった。

「よかろう」と、たったひとこと、ジャックが答えた。

しばらくして、階段の下に立ったとき――ジェンニーのうしろについて行きながら、家番室のガラス戸の前を通りながらわれ知らず無意識に足音を忍ばせているのに気のついたジャックは、はじめて自分の立場を意識した。彼は同時に、自分によせるジェンニーの信頼と愛のしるしの、いかに深いかに思いいたった。ジェンニーは、いま、パリにひとりでいる。それなのに、フォンタナン夫人も知らず、ダニエルも知らないというのに、自分のところに泊まるように言ってくれている……ジャックの感じている当惑の気持ち、ジェンニーのほうでも、おそらくそれを胸苦しいまでに感じているにちがいない……だが、それはジャックの思いちがいというものだった。彼女は、しっかり考えたすえ、自分のよしと思うところによって行動していたにすぎなかった。そして、そのほかのことは、何ひとつ気にかけていなかった。警官とのことがあって以来、彼女はジャックのことを案じていた。彼女の心からはジャックが天文台通りの家に身を隠しにきてくれたらといった考えが離れなかった。そして、そうした思いつき――おそらく一週間まえだったら考えさえもしなかったような思いつき――が、しっかり心に根をおろしていて、それがいかに大胆な考えであるかにさえ気がつかなかった。そして、ジャックがすぐに承知してくれたのを、ただひとすじにうれしいと思った。

わが家に帰るやいなや、ジェンニーは、思いきりよく帽子を脱ぎ、ジャケットを脱ぎ、せわしそうなようすで仕事にかかった。疲れていることさえ忘れているようだった。彼女は、茶を入れ、ダニエルの部屋をかたづけ、ディヴァンをベッドにするため、シーツを敷こうとした。

ジャックはそれをおしとどめた。彼はジェンニーの手首をしっかりおさえ、いやおうなしにじっとさせてやった。

「そんなことはみんなぼくにさせてくれなければ」と、微笑しながらジャックが言った。「かれこれ夜中の二時だ。六時にぼくは出て行くから、着のみ着のままで寝ることにする。もっとも、とても寝られそうにないんだが」

「でも」と、ジェンニーは嘆願するように言った。「上にかけるものだけでも……」

ジャックは、彼女がクッションをならべ、まくらもとのランプを電気の差しこみにつなぐのをてつだってやった。

「さ、あとは自分のことだけを考えるんだ。ぼくのいることなんか忘れて、寝るんだ、寝るんだ……わかったね？」

ジェンニーは、しとやかにうなずいてみせた。

「あしたの朝は」と、さらにジャックは言いそえた。「きみの目をさまさないように、ぼくはそっと出ていく。きみは、からだをやすめて、じゅうぶん寝坊をするんだ……あした、何がおこるかわからないから……昼飯をすましてから帰ってくる。そしてニュースを知らせよう」

ジェンニーは、またもわかったというようにうなずいてみせた。

「ではおやすみ」と、ジャックが言った。

彼は、楽しいかずかずの思い出のある部屋の中に立ちながら、清らかな気持ちでジェンニーをだいてやった。ふたりの胸が触れあった。ジャックが彼女をひきよせると、彼女のからだがちょっとゆらいだ。ふたりのひざがぶつかった。ふたりの胸ははっとさわいだ。だが、それと意識したのは彼だけだった。

「しっかりだいて」つぶやくようにジェンニーが言った。「もっとしっかり……」

ジェンニーは、ジャックの首のまわりに腕をかけて、とつぜんこみあげる情熱と、一種の陶酔感でジャックをだいていた。彼女は、むじゃきな大胆さでふるまいながら、ジャックにくらべてはるかにおそれを知らなかった。彼女はすすんで、ジャックを一歩、ベッドのところまでひきさがらせた。そしてふたりは、固くだきあったままそこに倒れた。

「しっかりだいて」と、彼女は、くり返した。「もっと……もっと、もっと……」そして、興奮を見られまいと、腕をのばして、テーブルの上の電気を消した。

ジャックは、つとめて自分を制していようとした。だが、こうなった以上、ジェンニーが自分の部屋へもどって行かないであろうこと、今夜このまま、ふたりがはなれられないであろうことがわかってきた……《おれたちにしてもか……》と、彼の頭に、稲妻のようにひらめいた。《おれたちにしても、ほかのやつらと変わりがないのか……》口惜しさ、絶望、恐怖のかげが、彼の欲情とまじりあった。彼は、息をはずませ、すでにくるめきをおさえきれなくなってきたのにまかせて、すべてをかくすやみをさいわい、黙って彼女をだきしめた。

とつぜんおこるからだのしびれるような感じ。彼は、はっと息をつめて、そのままじっと動かなかった……やがてからだの緊張がとけたとき、ふたたびほっと息がつけた。解放の感じ、それにいさされにかえった。

ジェンニーは、放心し、すっかり愛撫に溶けてしまったようすで、彼の腕の中に身をちぢめていた。彼女は、ほとんど何も考えていなかった。そしてただ、こうした歓喜のときが、いつまでもつづいてくれるようにとねがっていた。彼女は、その頬をジャックの上着にあてていた。そして、ふしぎなものといったように、わが胸のすぐそばで鳴っているジャックの鼓動に聞きいっていた。あけ放された窓からは、乳白色の明るみが——月かしら？　それとももう夜明けかしら？——この世のものとも思われない靄が部屋をおぼらし、壁も、家具も、すべての硬い、不透明なものが、一瞬透明になってしまった感じだった。眠るということ……ふたりがともに劇的な時をすごしたあとで、たがいにだきあって眠るということ、それはなんだかご褒美とでもいったように楽しかった。

ジャックが最初に眠りに落ちた。ジェンニーの耳には、最後のキスをしてくれているジャックの口から、何かはっきりしないつぶやきが聞かれた。つづいて彼女は、自分によりそって眠りかけているジャックにたいして、言いようもないときめきを感じながら、こうした幸福感を引きのばそうと思って、しばらくのあいだ、疲労にたいしてあらがいつづけていた。そして、ぴったり彼によりそいながら眠りに落ちた彼女は、眠りというより、むしろジャックに身をまかせることのうれしさを感じていた。

六十四

ジャックは、彼女より先に目をさました。ゆっくりとふたたび現実生活を取りもどすに先だって、彼はしばらく、興奮と疲労にもほとんど若さがそこなわれていない彼女のやさしい顔を、朝の光の中でうっとりとながめていた。ぐったりゆるんだ口もとは、いまにも微笑をもらしそうに思われた。つやのよい、すべすべしたばら色の頬の上には、水彩絵の具でひとはけはいたように、透きとおったまつげの影がのびていた。彼は、唇をつけようとして思いとまった。そして、そっとディヴァンのふちまで身をすべらせ、彼女をおどろかすことなしに起きあがった。

立ちあがって鏡を見た彼は、くしゃくしゃになった着物、土けいろの顔、乱れた髪に気がついた。彼は、こんな姿をジェンニーに見られてはと思ってあわててドアのほうへ行った。だが、姿を消すに先だって、彼は暖炉棚の上の花びんからスイート・ピーをいくつかえりわけ、さよならの意味でそれをいままで自分の寝ていたところにおいた。そして、足音をしのばせながら出て行った。

すでに七時をまわっていた。八月一日、土曜日。新しい月。夏の月、休暇の月。それはいったい何をもたらそうとしているのだ？　戦争か？　革命か？——それともあるいは平和か？

きょうもまた、上天気らしく思われた。

ジャックは、モンパルナス通り、クローズリ・デ・リラ亭の近くに浴場のあったことを思いだした。そこへ行くまえに、彼は新聞を買った。

その中のいくつか、『マタン』『ジュルナル』のごとき、ただ一枚の紙に刷られていた。すでに戦争による節約がはじまったのか？　新聞には、《万一の場合……》のため、動員される人々のための、簡明な情報が載っていた。

『ユマニテ』紙も、平常どおり出されていた。大きく黒枠でかこった中に、全紙をあげて暗殺の詳報を載せていた。ジャックは、そこに、ポワンカレからジョーレス未亡人へあてての、感動すべき書簡を見出しておどろいた。《国民的団結がとりわけ喫緊とせられている今日、わたくしは衷心から……》ところがジャックは、ジョーレス夫人が旅行中であり、夫人の帰ってくるまで、ジョーレスの友人たちが葬儀準備を差しひかえていることを知っていた。そうだとすると、手紙は、ポワンカレの手から直接新聞社へ届けられたものにちがいなかった。では、何をねらってのことだろう？

内閣の名により、ヴィヴィアニが署名した熱烈な声明は、ジョーレスが《この国歩艱難(かんなん)の時にあたり、その声望をもって政府の愛国的行動を支持》したことを特に記すことを忘れなかった。そして、終わりの部分に、婉曲な威嚇のちょうしをにおわせていた。《目下祖国が際会している重大なる情勢下、政府は労働者階級および全人民の愛国心に信頼し、治安を確保するよう、国民の興奮にたいし、首都を混乱に陥れるような扇動をこころみないように期待する》はたして政府は暴動をおそれているのだろうか？　雑報記者の言によれば、マルヴィー内相は、閣議の席上、暗殺の報を耳にすると、あわただしくエリゼー宮を退出して本省にもどり、警視総監と連絡したということだった。

それに新聞という新聞のすべてが、何か指令のあったことを語るかのように、異口同音に団結の必要を説いていた。そして、暗殺事件を巧みにつかって、《この偉大な共和主義者》が、死に先だって《その党》にしめした《軌範》、すなわち、政府が、《このきわめて恐るべき仮定の事実をまえにして、必要な用意をなす》ことに賛成していた事実をあげて、われ劣らじと賞揚していた。こうした解説を読まされると、死せるジョーレスは、ただフランスの国家主義的政策を激励するためにのみさけびつづけていたような感じがした。

作戦は、きわめて微妙であり、かつ狡智をきわめていた。いったん相手が倒されたとなると、いちばん巧者なやり口は、その遺骸をわが物とし、それをもって政府にたいする忠誠の象徴とし、それをもって武器とすること——いまやその首領を失った社会主義自身にたいしての武器とすることにあった。「事によったら、国葬議決とまでいくんじゃないかな？」と、むかつく思いでジャックは思った。

ジャックは、湯気にぬれた新聞をまるめて、それを遠くへ投げつけた。そして、憤然として湯の中にからだを沈めた。

《事態を直視すること》と、彼は思った。

《愛国主義者》たちの一味は、おどろくべき速度でその数を増し、いまや闘争は不可能のように思われていた。新聞記者、教授、作家、学者、インテリの面々は、みんな、われおくれじとその批評的独立性を放棄し、口々に新しい十字軍を謳歌し、宿敵にたいする憎悪をかき立て、受動的服従を説き、愚劣な犠牲を準備することにいそがしかった。さらには左翼の新聞も、民衆のすぐれた指導者たちまで、――そうした彼らは、ついきのうまで、その権威をふりかざして、このヨーロッパ諸国間のこのおそるべき紛争こそ、階級闘争の国際的地盤における拡大であり、利益、競争、所有の本能の最後の帰結であると抗議していたではなかったか――いまやこぞって、その力を政府ご用に役だたせようとしているらしかった。なるほど、そこには、《ああ、われらはあまりにも美しい夢を見すぎていた……》と、悔恨の言葉をつぶやくだけの恥を知る者もいるにはいた。だが、誰も彼もが、かぶとをぬぎかけていた。誰も彼もが、祖国防衛を正当化し、そのお得意さまである労働者に向かって、良心問題にこだわることなく、ただこの殺戮行為に参加するようにけしかけはじめているのだった。こうした全般的な無気力状態、それはたちまち、愛国主義的虚偽を氾濫させていた。そして、ぐらつく大衆の心の中に、ジャックが、そこにこそ平和を救うたったひとつの希望をかけていた反抗の気勢を、麻痺させてしまうおそれがあった。

《おお》ジャックは、胸刺されるような無力を感じながら考えた。《事はきわめて大がかりに準備されていたのだ……戦争というものは、神がかりにかかった国民がいなければできるものではない。まず、その手初めが心の動員だ。それさえすんだら、人間の動員なぞ、まったく物の数でもないんだ！》

ある集会のおりの思い出が心に浮かんだ。ジョーレスだったか？　ヴァンデルヴェルドだったか？　それとも、信頼に飢えた民衆の期待を背負って立った別の指導者ででもあったろうか？　その晩、演壇に立ったその人は、革命家の個人的行動を、海岸に住む人々が、父の代から子の代へかけて、手押車につんだ、ごみやかけらを海岸にすてに来ることにたとえていた。——《波はよせてきて砕け散る》とその人はさけんでいた。《波は、そうしたちりやあくたを散乱させる。だが、そうした手押車のひとつひとつは、そこに重い石ころの小さな山をのこし、それは、よせ来る波にも流されない！　そして堤防は、わずかずつでもできていく！　やがて、いやおうなしに時がきて、積まれた石はついにじょうぶな堤防になる。よせ来る波も、これにあたってまったくの無力だ。そして、これこそすなわちひとつの新しい大地なんだ。そして、その上を、来るべき世代の人々が、勝ちほこった姿で行進するのだ！……》こうした、いかにもみごとなたとえは、その日、デモの連中を熱狂させたものだった！《だが》と、ジャックは思った。《いま、この大津波をまえにして、そうした小さな努力のごとき、はたしてなんのかいがあるのだろう！》

ジャックはたちまち自分の弱気をはずかしく思った。《ほかの連中のまねをしてはならない……絶望によって気を落としてはならない！　優秀な人々があきらめるであろうとき、そして、できごとの宿命性といったような神話のまえにかぶとをぬぐであろうとき、そのときすべてはとり返しのつかないことになる！　できごと、それをつくり出すものはわれらなのだ！　何をおいても希望を持つこと！　そして行動すること！　危機の呼び声にたいし、恐慌への軽薄な雷同にたいし、最後の最後ま

で戦いぬくのだ！　すべてはまだまだ絶望ではないんだ！》
ジャックは、おそろしいまでの孤独を感じていた。孤独、そうだ、それは誠実であり、純粋であるからのことなのだ。孤独、だが、それと同時に、そうした悲痛な孤立によって守られているといった感じだった。彼は、絶望感にもかかわらず、自分の正しいこと、自分が真理を守っていることを知っていた。ぜったい投げだしたりなんぞするものか！

ジャックは、ジェンニーのところへは帰らずに、『ユマニテ』社へかけつけた。

けさ、社の建物は、まるで喪につつまれた家といった感じだった。

この時刻にもかかわらず、階段や廊下は、もう闘士たちの出入りでたいへんだった。興奮した顔のうえには、悲しみと落胆との二重のかげがきざまれていた。犯人の名が、口から口へと伝えられていた。ラウール・ヴィラン……誰ひとり知っていなかった。変質者？　それとも、国家主義者の一味？　武器はどこから手に入れたのだろうか？　警察での犯人は、犯行について何ひとつ説明らしい説明ができなかった。ポケットに発見された書類の中には、こうした奇怪な言葉が記されていた。《国家は危急に瀕している。人殺しどもに思い知らせてやらなければ》

ステファニーは、ほかの編集部員たちとおなじように、ひと晩じゅう立ちづめだった。顔色は、まるで濃いスープとでもいうようだった。そして、涙と不眠にいためられた黒い小さな目で、たえず目ばたきをつづけていた。

彼の部屋には、十人ばかりの社会主義者たちがつめかけていて、はげしい論争をやっていた。人々の言うところでは、ドイツ大使フォン・シェーンは、フランス外務省にたいし、フランスがロシアへの軍事的援助を拒絶し、中立を守ってほしいという、信じられないような交渉を試みたとかいうことだった。そして、ドイツは、もしフランス政府が、中立を守る保証として、ドイツの対ロシア作戦の期間中、トゥール、ヴェルダンの両要塞を占領させてくれるようなら、フランスにたいして戦争しないことを約束しよう、ということだった。

なるほど少数ではあったが、その場にいた幾人かの人々、たとえばビュローとかラップとかは、こうしたどたん場にのぞんでのかけひきこそ、フランスを紛争に介入させることから守るたったひとつの方法であることをにおわせていた。だが、大多数の連中は、案に相違して露仏同盟擁護にくみしていた。若いジュムランのごときは、ジャックが、あのマニュエル・ロワの憤激を思いだしたような口調で、それにたいしてはげしく反対した。

「そんなことをしたら、それこそ歴史上、フランスがみずからの署名をないがしろにした最初の例になってしまうぞ!」

ビュローが、とつぜん立ちあがった。

「ちょっと待ってもらおう!」と、ビュローは言った。「われがちに脱線されては困るんだ!……事変の関係、動員の時期の比較をもっとしっかり見てほしい! フランスのあらゆる努力にもかかわらず、ロシアが、久しいまえからはじめ、活発に、しかも執拗につづけてきた戦争の準備、それについてはひとまず不問に付そう。ここではもっぱら、公式命令のことだけを問題にしよう。ところでだ、ツァーの勅命は、おととい、木曜日の午後に署名された。つまりそれは、ドイツが、ロシアの動員は戦争を意味するとあらかじめ明白に宣言していた恐るべき警告にもかかわらずなされたものだ。おとといい、木曜日のことなんだ！　ところがフランツ・ヨーゼフは、きのう、金曜日、正午近いころにはじめて動員令に署名した。つづいて、おなじくきのう、だが遅れること数時間の後に、ドイツはKriegsgefahr（戦時状態）を宣言した。ただし、これは総動員とおなじものではないんだ。以上が事件の正しい順序だ……しかも、誰ひとり知らないもののない事実なんだ」と、彼は、ポケットから新聞をとり出しながら言った。「たとえば『マタン』のごときご用新聞さえ、ロシアの総動員がオーストリアの総動員よりまえになされたことを認めている。事実はまさにかくのごとし！　ここのところがきわめて重要だ！　後世史家の目には、最大重要事として映るだろう。ロシアは異論なく、侵略国家として取り扱われるにちがいない！……そこでだ」彼はひと息入れたあとで、一語一語に力をこめながら言葉をつづけた。「ぼくは、何ぴとにもましてフランスの名誉を念じている。ただぼくは、以上のような事実の認定から、フランスはこんにち、その締結した義務をぜったい裏切ったことにならずに、ロシアの援助を拒絶することができるとにらんでいるのだ！　さらにこの際一歩すすめて、侵略国家との提携を拒否することこそ、フランス政府が、明々白々、なんら非難の余地をのこすことなく、絶対戦争を欲しなかったことを証明できる最後の好機会だと思ってるんだ！」

一座はしんと静まりかえった。とつぜん、希望があらわれたとでもいったようだった。

ジュムラン自身も、これにたいしてなんら反駁の余地がなかった。だが、彼としては、みずからの非を認めたくなかった。そして、問題の向きを変えてしまった。

「フランスの締結した義務……それがどういう義務だか知ってるものがいるだろうか？　ポワンカレがイズヴォリスキーにそそのかされて、二年まえ、フランスの名によってなした新協約が、はたしてどんなものであるかはっきり知ってるものがいるだろうか？」

「ところで、外相の回答は？」と、ジャックがたずねた。「外務省は、フォン・シェーン大使の提案をもちろんひとつの《わな》だと思ったんだろうな？　あいかわらずのフランス外交のやり口だ！」

「わなではないまでも」と、情報通をもって自任するカディウが訂正した。「少なくも偽装的挑戦、一種の最後通牒として受けとったのさ」

「だが、その目的は？」

「わかりきってら。即刻フランスに、態度を闡明させようと思ってなのだ！　誰でも知ってることだが、ドイツ参謀本部の作戦は、まず最初にフランス戦線で決定的な勝利をつかみ、転じて東部戦線に向かう腹だ。だから、ドイツとしては、一刻も早くフランス攻撃ができなければならない。このことから、ドイツは、露独戦線での戦争がはじまるまえに、むりやりフランスを戦争にひっぱりこみたく思っているんだ！」

ステファニーは、少しまえから、じりじりしたようすを見せていた。彼は、はげしい声をあげて、議論にさっと割ってはいった。

「きみたちの議論をきいてると、まるで戦争がはじまった、ないし目睫(もくしょう)のあいだにはじまりかけているとでもいったようだな！　しかも、そうした議論を、いまや独仏社会主義者の提携が空前の緊密さを加えようとしているときにやってるんだ！　つまり、今夜われらのところへのミュラーの到着が、いよいよ決定的、直接的、全般的な行動を期待させようとしているときにだ！」

一座ははっと口をつぐんだ。一瞬、ジョーレスのおもかげが部屋の中に浮かんだ。ステファニーの意見は、まさに《おやじ》だったら、まさにそう言うだろうと思われる意見だった。目下の情勢から見て、両国政府の意見いかんを問題とせず、両国民相互の平和協定を結ぶため、公式に社会民主党の代表をパリに送って来たということは、まさに前例のない事実であり、それにすべての期待をつなぐことこそ、まさに当然ではなかったろうか？

「ドイツの連中、なかなか味をやりおるなあ！」と、ジュムランがさけんだ。いままでの極端な悲観説から、なんの連絡もなしに若い者らしい信頼感に転じたあたり、まさに一般の人々の錯乱状態をそのまましめしていた。

おりからルノーデルがはいって来て、この場の空気を転換させた。

ルノーデルは、顔色も悪く、それに顔がむくんでいた。彼はまえの晩、ジョーレスの通夜をしたのだった。

彼は、セーヌ県社会主義連盟事務所の集会に出るためにやってきていた。それはけさ、『ユマニテ』社で、ジョーレス死後の党内事情を検討するため、緊急に召集されていたものだった。彼は、そのまえに、サンディカリスト同盟の発したよびかけについて、ステファニーと相談しようというつもりだった。彼の言葉によれば、リヨン、マルセーユ、トゥールーズ、ボルドー、ナント、ルアン、リールなど、いたるところで、新しくデモが計画されているそうだった。——「そうなんだ」と、彼は握りこぶしを固めて言った。「まだ絶望するには早いんだ！」

みんなは、彼をステファニーとふたりだけにしておくことにした。ジャックは、ギャロに会おうとしたが、あいにく部屋に見えなかったため、そのままこっそり出てきてしまった。彼は、ジェンニーのところへ出かけるまえに、アナーキスト連中のようすをうかがうため、『リベルテール』社へよってみようと思っていたのだ。

ところが、ダンクール広場にさしかかったとき、彼はコーショワ兄弟——このふたりの石工は、『リベルテール』社の常連だった——に出会って、そのまま行くのをやめてしまった。

「いま行ってきたところなんだ。誰もいないや。みんな用心してるんだ。警察がうろついてるから。にらまれたところで三文にもならねえ」

ジャックは、しばらくのあいだふたりといっしょに歩くことにした。ふたりは、どことあてなしに歩きまわっていたのだった。ふたりとも《こんなえらいことになった》ため、めずらしく職場を休んでいたのだった。

「おまえさん、どう思うね、例の戦争っていうやつを？」と、兄のほうがジャックにたずねた。茶色の髪をした、そばかすのある大柄な男で、顔だちはかなり無細工だったが、けさ、青みがかったその目には、ふだん見なれないやさしい色があふれていた。

「そんなもの、こいつは問題にしてはいないや、スイス人だから」と、弟が口をはさんだ。(双子ではなかったが、兄とうりふたつの弟だった。ただしそこには、できあがった彫刻と原型とのちがいといったようなものがあった。)

ジャックは、くわしい話をしてもむだだと思った。

「問題にしないどころか」と、浮かないちょうしでジャックが言った。

弟は、陽気なちょうしで言った。

「もちろんそれにはちがいあるめえ。それにしても、おれたちとおんなじ立場じゃねえんだ」

兄のほうは、きょうの臨時休みに一杯ひっかけて祝意を表したらしく、相当口軽になっていた。

「なあに、おれたちはかんたんだ。からだだけしか持ってないものには、からだだけが身上だ！……とは言っても、いざとなったら思想のために命ぐらい投げだして見せるが！　だが、愛国主義者の考えてるようなことのためにはまっぴらだな！　好きなやつらはやるがいいや！　おれたちにとっちゃあ、気安く仕事のできるところが、そのまま祖国というわけなんだ。ちがうか、ジュール？」

弟は、用心するように軽く口笛を鳴らしていた。

「でも？」と、ジャックはたずねた。「いざ動員ということになったら？」(ジャックは、自分自身の場合を考えていた。アントワーヌから《どうするつもりだ？》と聞かれたときの彼の答え、それには、ぜったいうそ偽りがなかった。だが彼にはわからなかった。しゃにむに戦ってみるつもりではあった。だが、どこで？　誰と？　どうやって？……もっとも彼は、そんなことはつとめて考えないことにしていた。そうすることは、平和自身に疑いを持つことになりそうだったから。）

弟は、こっそり兄に目くばせした。そして、兄のしゃべり出すのをおそれるかのように、自分であわてて返事をした。

「動員されるにしても九日めだ。それまで相当あいだがあらあ」

だが、兄は、弟の注意に気がつかなかった。そして、ジャックのほうをのぞきこみながら、声をひそめて、

「おまえさん、サイヤヴァールを知ってるだろう？　知らない？　そばかすのあるやろうだ……サイヤヴァール、あいつポール・ブーの生まれでね。で、スペイン国境のことにかけたら、おれたちにとってのメニルモンタン（パリ場末の労働者町）とおんなじように、すみからすみまで知ってるんだ……」彼は、ないしょ話といったように目くばせした。「スペインだったら、たとい戦争がおこったって、ずっと中立でいるだろう。あそこだったらぜったい安全、男一匹自由にパンがかせげるんだ……それに、仕事だったらなんでもござれだ。なあ、ジュール？」

弟は、そっとジャックのほうをうかがっていた。その青いひとみには、きらりと冷たい光が光った。そして、ふきげんらしくつぶやいた。

「こんなことを、人に言ってくれちゃあこまるぜ！」

「心配無用」そう言いながら、ジャックはふたりの手を握った。

ジャックは、考えこみながら、ふたりの立ち去るのをながめていた。それから、だめだ、といったようにかぶりをふった。

《だめだ……おれはしない……中立国に逃げだすなんて、それにも理屈はあるだろう。だが、〈気楽に仕事ができるため〉そして〈パンをかせぐため〉だけに、ほかの連中が……そうだ、だめだ……》

彼は、幾足か歩くと、ふたたびそこに立ちどまった。《では、いったいどうしたらいいんだ?》

六十五

アンヌは、思いけっした足どりで電話のそばへ歩みよった。彼女は、受話器をはずそうとしながら考えた。

《あたし、ばかだった。十一時二十分。あの人、まだ病院だわ……門のところで待っててやったらあそこだったら、逃げようたって逃がしはしない》

アンヌは、午前中運転手にひまをやっていたことを思いだした。一分の時間をもむだにしないため——とりわけいらいらしないですむために——彼女はしたくをすると、すぐに家を出た。そして、タクシーを拾って飛びのった。

「セーヴル町！　いいところでとめるわ」

病院の門番に聞くと、チボー博士の帰るのはまだ見かけなかったということだった。

アンヌは、人道よりに並んでいる自動車に一瞥を投げた。アントワーヌの車は見あたらなかった。だが、庭のほうにおいているのかもしれない。それに、午前中は、いつも車に乗るとはきまらなかった。

アンヌは、ふたたびタクシーに乗った。そして半身をドアから出して、大きな門の人の出入りを見まもっていた。正午五分まえ……正午……大時計が十二時を打った。それにこたえて、ときをおかず、近所の寺の鐘が鳴りだした。事務員や看護婦たちの波が、人道の上にあふれはじめた。

とつぜん、アンヌはひたいの汗ばんでくるのを感じた。横町に向かった別の門のことを思いだしたからだった。彼女はいそいで車をおりると、門番に博士が出てきたらとめておいてもらうようにと言いのこして、こんどは歩いて行くことにした。

人道は狭く、せわしそうな人波にあふれていた。車道のほうは、自動車とトラックの行列だった。人通りの多い往来は、耳を聾する騒音だった。アンヌは、目まいがしてきて、立ちどまった。こめかみのあたりが鳴っていた。彼女は目を閉じると、冷ややかに、いっそ生きていないほうがましなのではないかと考えた。だが、彼女は、すぐにきっとからだを起こし、そして、夢遊病者のように歩きはじめ、門のところ、門番室のところまで歩いて行った。

チボー先生でございますって？　ええ、ええ、たったいましがた病院をお出かけになりました……

アンヌはなんとも答えなかった。礼をいうことさえ忘れ、気がちがいでもしたように門を出た。どうしたらいいだろう？　も一度ユニヴェルシテ町の家へ電話をかけたものか？　（彼女は、きのう一日、幾度も幾度も電話をかけた。けさかけたときも、いまお出かけになったばかりというところだった。少なくも、レオンはそういうふうな返事をした。《こんなに早く？》と、彼女は言った。ほんとかしら？　七時十五分なんていう時刻に？……）

アンヌは、も一度門番室へ引き返した。

「電話をかけさせていただけて？　とても急ぎの用があるの」

お話し中がずっとつづいた。彼女はずいぶん待たされた。そして、やっとのことで通話できた。

「お留守でございます……お昼の食事には帰らないと言ってお出かけでした」

レオンの、例のいかにもよそよそしい話しぶり。アンヌは、このごろでは、彼が憎くてたまらなかった。ばか丁寧な、ひっぱるような声、それがいまではたえられなかった。それは、いつでもアントワーヌと自分のあいだに介在しているのだった。そして、彼女が電話線の向こうに求めつづけている、直接な、生きいきした、ほとんど肉感的な接触を、拒みつづけていた。

アンヌは、ひとことも言わずに受話器を掛け、ふたたび人道へ出た。《だめだ！　これから行ってみてやろう！……嘘だかどうだか、しらべてやる！》

まず、タクシーのところまでもどらなければならなかった。彼女は、自分が情念にかり立てられているのに憤然としながら、それにはむかう力もなく、人ごみの中をすり抜けすり抜け走りつづけた。

《ユニヴェルシテ町四番地ロ号！》

遠くから、その家の新しい正面、ブラインド、自動車用の門が目にはいったとき、彼女は恐怖にからだがすくんだ。彼女は、彼が食事なかばをじゃまされて、ナプキンを手にし、ふきげんなようすで、控え室の奥から出てくるすがたを思い浮かべた。なんと言ったらいいだろう？

《トニー、あたしあなたが好きよ》か？　とつぜん、アンヌには、彼の引きよせられたまゆ、あご、すぐ目にうかぶ不愉快そうな冷たい眼差しが、なんともおそろしく思われた。

手紙にしようか？

「車をとめて……そのかどのところ……郵便局の前で」

アンヌは、速達用紙をもらうと、それにこう走り書きをした。

お会いしたいの、トニー、せめてちょっとでも。いつでもけっこう、どこでもけっこう。電話をちょうだい。お待ちしてるわ。わたしのトニー、なんとしてでもお会いしたいの。

《なんとしてでもお会いしたいの》それは彼女が、たえず心にくり返していた言葉だった。彼女には、も一度彼に会えさえしたら、たといそれがわずか一分であっても、みごとに彼をひきとめ、も一度つかまえてみせるだけの自信があった。

アンヌは、速達を函に入れた。そして、そうするわが身を恥ずかしく思って、追われるようにそこを出た。

速達がユニヴェルシテ町の家に届いたとき、アントワーヌはまだ食卓についていた。「ぼくはきみを信じるよ」と、ロワに向かって言っていたところだった。ロワは、頬を紅潮させながら、ゆうべ参加した熱狂的愛国主義者のデモについて話して聞かせていた。「ぼくは、いろいろな意味からきみを信じないではいられないんだ！　いま、ぼくらの前には、とっぴょうしもない愛国心の発露が見られている……だが、ブールヴァールを練りあるいて自分たちの戦争賛成の気持ちを宣言しているあの善良な青年たち、それがぼくに何を思わせるかわかるかね？……」

そのとき、レオンが彼に速達をわたした。見おぼえのある筆跡だった。彼の目はかすんでしまった。「……ぼくが子供のころ、パリのほうぼうの壁に貼ってあった広告ビラのことを思いださせるのさ……」彼は話しながら、何をしているかもうわのそらで、速達のミシンを破っていた。それから手紙を一瞥したあとで、それを細かく破りすて、ふたたび言葉をつづけた。「その絵には、鵞鳥の群れがかいてあった……そして鵞鳥は、長い、とがった包丁を手にした料理人に喝采を送っているんだ……

そして、うたい文句にいわく、《ストラスブール製パテ万歳！》……」彼は、速達の紙片を皿の中にまきちらした。そして、そのまま口をつぐんだ。

アンヌと彼とのあいだには、べつになんのいざこざもなかった。このあいだ夫のシモンに会って以来、アントワーヌは、来訪をも、あいびきをも、電話をも、すべてかたくなに避けていた。もちろん彼としては、こうした彼らしくないあいまいな態度を取りたくはなかった。彼にはそれが苦しかった。彼としては、きっぱりした態度がとりたかった。できれば、アンヌと決定的に話をつけたいと思っていた。いつも伏目をしいしい、レオンから《あちらからお電話でした》というきまり文句で迎えられるとき、日に幾度となく、はっきり、そうしようとも考えたのだった。だが、いつも疲れすぎるような時がつづいていた。そして、たまたま職業的生活からのがれられたようなときでも、いつも不安な気持ちで一心に新聞を読みふけり、でなければ、一種の病的な人の好さから、自分とおなじような、戦争のことだけに頭をうばわれ、何ひとつほかのことを口にしようとしないような連中たちに会い、みごとつかまってしまうのだった。おりおり、彼は、何ひとつとがめだてする余地のない彼女、一週間まえまで、なにはともあれ自分の生活の中に大きく位置していた彼女にたいし、敵意のこもった無関心さだけしか感じられなくなったことをわれとわが心の中でおどろいていた……

そうしたことを、アントワーヌは、自分だけのことだろうと思っていた。彼は自分が、大きな、全般的な現象に支配されていることに気がつかずにいた。いまやヨーロッパを揺り動かしている戦慄は、個人生活をさえもゆすりあげていた。いたるところ、人々のあいだでは、人によってつくられたきずながが自然にゆるみ、ひとりでに破れていきつつあった。世界のうえを、さきがけて吹く風のそよぎが、木々の枝から、いたんだ果実をゆり落としていたのだった。

六十六

ジャックは、まだ正午まえというのに、天文台通りの家に帰ってきた。

ジェンニーは、こんなに早くとは思わなかった。そして、恥ずかしそうに、九時まで寝てしまったことを打ちあけた。彼女は、オーストリアについてわずかな情報でも知りたいと思って、一心に新聞を読んでいたところだった。ウィーンに足どめされている母の運命を思い浮かべるやいなや、彼女の声はふるえていた。そして、立ちあがると、手で顔をおおいながら、二足三足前へ進んだ。

ジャックには、どうしたら嘘をつかずに、彼女を落ちつかせてやれるだろうかわからなかった。こうした身近なかよわい悲嘆を見せられるにつけても、事件の重大さはさらにずっしりと感じられた。そして、彼には、危殆に瀕した平和のために戦うという理由のほかに、さらにジェンニーをその不安から救ってやれたらというむじゃきな望みが加わっていた。

「腰をかけないか」と、ジャックが言った。「そんななさけなさそうな顔をして立っていないで……

とても見ていられない……それに、絶望というわけではけっしてないんだ！……」

ジェンニーとしては、ただ彼を信じたかった。ジャックは、何はともあれ彼女を安心させてやろうと思って、微笑を見せていた。彼は、ミュラーの使命のこと、ステファニーの抜くべからざる希望のことを熱意をこめて話して聞かせた。彼は、自分でものり気になっていた。そしてほとんど真剣といいたい興奮をこめて、こんなことまで言って聞かせた。

「危機が、これほど明瞭で、これほど全般的なものになってきたことは、おそらくいいことにちがいないんだ。なぜかと言えば、問題は、これから大きな世論をかり立てることにあるんだから！」

「そうね」と、ジェンニーは、じっと目を見すえながら言った。

彼女は、神経質らしいようすで立ちあがると、窓のすだれをおろしにいった。そのしぐさが、まるで熱に浮かされてでもいるようで、すだれのひもは、指にからんではなれなかった。

ジャックは彼女のほうへ歩みより、腕をまわして肩をかかえ、しっかり彼女をだきしめてやった。

「さあさあ、落ちつくんだ。ぼくをごらん……ここにいるといい気持ちだ！　少し息を入れ、元気をとりもどそうと思ってやってきたんだ。ぼくにはきみが必要なんだ……きみに信じていてもらうことが必要なんだ！」

ジェンニーは、顔色をかえた。そして、元気そうに微笑してみせた。

「けっこう、けっこう！　さ、帽子をかぶるんだ。そして食事をしに行こう」

「ここでいっしょにたべたらどう？」と、ジェンニーが言った。いかにもわざとらしからぬ快活さに、ジャックはびっくりさせられた。「きっと楽しいだろうと思うわ！　卵もあるし、桃もあるし、それにお茶もあるし……」

ジャックは、そうすることにした。

ジェンニーは、いそいそと、ガス・レンジに火をつけようと思って走っていった。そのあとから、ジャックも台所までついていった。そして、屈託ごとからしばらくのあいだ解放された気持ちになった彼は、彼女が、食卓の上にテーブル・クロースをひろげ、食器をならべ、皿の中にバター玉をそろえ、きちょうめんな女たちが、家事上のつまらないことまで克明にやってのける真剣さで、せかせか立ち働いているのをながめていた。彼女の一挙手一投足のなんというしなやかさ、なんというすなおさ！　愛の気持ちはまさに彼女のきつさをとっておさえ、これまで何かしらかくれたかたくなさによって縛られていた彼女の女らしさが、解き放されたとでもいうようだった。

「ふたりでのはじめてのお食事」と、ジェンニーは、食卓の上に卵の料理をおきながら、あらたまったちょうしで言った。

ふたりは、古い友だち同士といったように、向かい合って腰をおろした。ジェンニーははしゃいでいた。ジャックも、それにならおうとつとめていた。だが、ひたいの憂色はそのままだった。ジェンニーは、そっと彼をうかがっていた。それに気がついて彼は微笑してみせた。

「落ちつくね！」

「ええ」と、ジェンニーは、はっきり言いきった。「わたしたち、いまこそほんとにいっしょでいなければいけないのよ！」

ジャックは目を伏せた。彼はとつぜん将来のことを考えて、はっと恐怖におそわれた。

食事のあいだも、ふたりは、心から沈黙を破るところまではいかなかった。ジャックはおりおり、ジェンニーを、じっとやさしい眼差しでつつんでやった。そして、胸のうちをなんと言いあらわしていいかわからぬままに、腕をのばすと、彼女の手の上にしばらくわが手をのせていた。

ジェンニーには、だまっている彼を見ることがつらかった。数日このかた、彼女の心には、ひとつの変化が見えだしていた。すなわち、彼女としてはじめて、彼女本来の性質にもかかわらず、その長いあいだのひっこみ思案の習慣にもかかわらず、自分のことを話したい気持ちになっていたのだった。いままでひとりで暮らしてきた長い年月、それは要するに、ジャックにたいしての長いながいひとり言にほかならなかった。そのあいだ、彼女はジャックを前にして、たんねんに自己解剖をしていたのだった。そしてジャックにたいし、なんの仮借もなく、自分の性格上の欠陥なり、力量なり、限界なりをしめしつづけていたのだった。それというのも、彼女は、ジャックが、自分について何かイリュージョンを描いていないだろうかをおそれていたからだった。自分というものをよく知るようになったが最後、はげしい失望を感じることになりはしまいか、たえずそれを気づかっていたのだった。

ふたりがくだものの鉢をからにしたとき、ジェンニーは彼に向かって、ナプキンをたたむように言った。そして、ダニエルのつかっていたナプキン・リングをわたしてやった。そのあとでは、ダニエルにするのとおなじように、ジャックの腕をとって自分の部屋へつれていった。

ドアが細めにあいている客間の前を通りながら、ジャックは、おりからさっと日の光に照らされている一台のピアノを見た……ジャックは立ちどまった。そして、気まぐれを思いついて、

「ジェンニー！　聞かせてほしいな……ほら……あれ……きみが昔ひいていた……あれ……」と言った。

「あれって？」

ジェンニーには、彼が何を言おうとしているのかわかっていた。それでいて彼女は、メーゾン・ラフィットでの、苦しかった日のことを思いだして身をふるわした。

「あら、ジャック……きょうはよしてよ……」

「いいじゃないか！」

ジェンニーは、ドアをあけて、ピアノのそばへ歩みよった。そして、ショパンの第三エチュードをひきはじめた。それこそは、彼女の生涯での、きわめて悩ましい、きわめて絶望的な一夜のことを思いおこさせるところのものだった。

ジャックは、彼女の目にふれないため、そのうしろ、かげになったところに、腕組みしながら立っていた。彼は、涙をおさえるため、きっと目をとじていた。そして、うっとりした気持ちにたえられないようすで、しんと静まりかえった中にふるえている、なつかしい幸福の歌に耳を澄ましていた。

ひきおわった彼女は、さっと立ちあがってピアノの前をはなれた。そして、彼のところへ来てもたれかかった。

「ゆるしてほしいんだ」彼女の耳には、いままでついぞ聞いたことのない、ジャックの低い、沈痛なつぶやきが聞こえた。

「あら、どうして?」ジェンニーは、おびえたように聞きかえした。

「ぼくたち、もっとまえから、しあわせになれたはずだと思うんだ……」

ジェンニーは、はっとからだをふるわせた。そして、いきなり彼の口をおさえた。

窓はあけ放されていた。ジェンニーは、彼を、しずかに、バルコニーのところまでつれていった。目の下には、大通りの並木のこずえがこんもりした緑の敷物をつらねており、その中からは、あいだをおいて、すずめのさえずりといったように、目に見えない子供たちの声がわきあがっていた。はるかかなたには、リュクサンブール公園のしげみが、ほどなくせまる秋の錆色を前に、くすんだブロンズの色を見せていた。

ジャックは、機械的に、ふたりの前にひろがっている輝かしいながめに見入っていた。《ミュラーは、もうブリュッセルを立ったろうな》と、彼は思った。彼の心には、そのこと以外何もなかった。

彼のそばで、ジェンニーは、夢みるようにつぶやいた。

「わたし、どの木でも知ってるわ……そして、木の下のどのベンチも、どの彫像の台石も……わたしの子供時代は、すっかりこの公園のなかにあるの……」そして、ちょっとあいだをおいて言葉をつづけた。「わたし、思い出話が好き……あなたは?」

「ちがう」と、ジャックは無遠慮に言った。

ジェンニーは、急に顔をふり向け、なさけなさそうな目つきをした。それから、いかにも非難するようなちょうしで、

「ダニエルもやっぱりそうなのよ」

ジャックは、言いわけをしなければならないと思った。彼はそれをやってみた。

「ぼくにとって、過去は過去なんだ。すぎてゆく一日一日は、みんな暗い穴の中に落ちこんでいってしまうんだ。ぼくはいつでも、目を将来へ向けてきたんだ」

こうした言葉は、口には言えないほどジェンニーの心をきずつけた。彼女にとっては、現在はほとんどなんの価値も持っていなかった。将来にいたっては、さらになんの価値をも持っていなかった。彼女の心の生活は、ほとんどすべてが回想のうえに立っていた。

「そんなことってあり得ないわ。あなたは、自分を変人にみせようと思ってそんなことを言ってるんだわ！」

「変人にみせる？」

「いいえ」と、彼女は顔を赤らめながら言葉をつづけた。「《変人に見せる》っていうんじゃないけど……」彼女は、ちょっとのあいだ考えこんでいた。「あなたはときどき……人をはぐらかしたい気持ちになるんじゃない？　もちろん、はぐらかすのがおもしろくってというわけじゃないけど……でも、そうしたほうが、人とのつきあいを逃げられると思って……ちがう？」

「どうしてさ？　逃げるって？」ジャックは心に考えてみた。そして、率直にいった、「そうかもし

れない……たしかに、自分について人に定見を持たれることは、なんともたまらないことなんだから。まるで、自分が制限され、自分の考え方に封印されるようなものなんだから。なるほどそんなわけで、人をはぐらかしたりするのかもしれない。人から差し押さえをくうのをごめんこうむろうと思ってね……」

ジャックは、ジェンニーによって、自分ひとりならとてもできそうもなかった反省のできたことに気がついた。そして、その点彼女に感謝した。彼は、思い出の感傷癖について彼女にばかげた侮蔑の言葉をあびせかけ、彼女の心をいためたことをわれとわが心にとがめていた。そして、彼女のまわりにまわしていた腕を、さらにしっかりひきしめた。

「心配させたりして、ばかだったな……いろんなことで、とてもいらいらしてるんだから……」彼は微笑した。「それに、ぼくの悪かったことの言いわけのようだが、きみもたしかに赤ちゃんだ……とてもとても気が小さくって！」

「ほんとうよ」と、ジェンニーがすぐに答えた。「とてもとても気が小さいの！」彼女は、ちょっと考えこんだ。「わたし、とても気が小さいの。それでいながら、わたし、けっして親切じゃないのよ」

ジャックは、微笑して見せた。

「そうなのよ……わたし、自分のことがよくわかるの！　いつでも、人に親切と思われるようなことをしているときでも、じつはよく考えたすえ、そうするつもりで、義理をはたすといったような気持ちでやっているの……ありのままの、すなおな、自分でもそれと気がつかないような親切、ほんとうの意味での親切、それがこのわたしにはぜんぜんないの……たとえば、ママの親切といったような……」彼女はあやうく《それにあなたの》と言いかけた。だが、それはそのまま思いとまった。

ジャックは、おどろいたように彼女のほうへ目をあげた。彼女の中では、とつぜんドアがぴったりしまった感じだった。こうして、彼女から、はっきり自分自身のことを話してきかされたとき、彼は、いままでになく彼女がわからなくなってきた。彼女は、顔をこわばらせ、目をきつく光らせていた。そしてジャックには、なにか接触が断ち切られでもしたような感じ、化石し、抵抗し、自分となんら交感のないものをまえにしているような気持ちがした。ひとつのなぞ。そして、それがなんだかわからないために、男としての自負心をきずつけられていた。

ジャックは真顔になってつぶやいた。

「ジェンニー！　きみはまるでひとつの島だな……あかるい島、日に照らされた島、だが、近よりがたいひとつの島だ！……」

ジェンニーは、はっとからだをおののかした。

「なんでそんなことを？　ひどいわ！」

何かしら無気味ないぶきが、ジェンニーの心をひやりとさせ、ふたりのあいだを通りすぎた。ふたりは、たがいによりそいながら、バルコニーの手すりに身をもたせ、固くとざされているたがいの考え、たがいの不安のことを思いながら、しばらくは沈黙をまもっていた。

遠く、あいだをおいて、元老院の大時計が二点鐘を打った。ジャックは、時計を出してみてから立ちあがった。

「二時だ！」そして、いっときも忘れることができずに「もうミュラーは発ってるだろうな」と、つけ加えた。

ふたりは部屋の中へはいった。ジャックは、いっしょにこいとはすすめなかった。彼女のほうでも、つれていってもらおうとはたのんでいなかった。それでいて——事はきわめて自然にはこばれた——そして、ジェンニーが、自分の部屋へといそぎながら、

「ちょっと待っててね……わたし、したくをしてくるから」と言ったとき、ジャックは、それを聞いてもべつにおどろきもしなかった。


そこへジェンニーをつれて行こうと決心したジャックが、彼女といっしょに『ユマニテ』社に着いたとき、彼はまず、階段の途中で行きあったラップに、ドイツ代表の到着を迎える手はずがどうなっているかをたずねてみた。ミュラーを乗せたベルギーからの列車は、五時すこしすぎにパリに着くことになっていた。社会党の代議士たちは、彼を迎えるため、パレ・ブールボン(フランス下院)の一室に六時に集まることになっていた。会談の重要性から考えて、今夜はだいぶおそくなるらしいという観測だった。

「われわれは、みんなでギャール・デュ・ノールへ出迎えに行くことになってるんだ」と、ラップが言った。

ギャール・デュ・ノール？　ジェンニーは、一瞬、はじめてジャックに出会った折りのいちいちの情景、地下鉄の廊下を追跡されたときのこと、聖ヴァンサン・ドゥ・ポール小公園のベンチのことなどを思い浮かべた……ジェンニーは、むじゃきにも、彼もまたそのことを考えているものと思って、彼のほうへ目をあげた。だが、ジャックは、ラップのほうを向いていた。そして、けさ、社会主義連盟の集会で、どんな決定が行なわれたかをたずねていた。

「何ひとつ」と、吐き出すようにラップが言った。「事務局の連中は、なにひとつ決定を見ないで別れてしまった。党にはもう、かしらがいなくなっちゃったんだ！」

社の各局は、すべて緊張の状態にあった。ギャロの室では、パジェス、カディウ、そのほかの面々が、論議に花を咲かせていた。

ドイツで Kriegsgefahr の宣言がなされて以来、フランス参謀本部は、政府にたいし、即刻動員令を発動させることを迫っているということだった。もはや、時間の問題にすぎないと言われていた。パジェスのごときは、ジョッフル将軍所属の秘書課勤務の書記から聞いたといって、動員令はすでにきょうの正午、ポワンカレによって署名されたと言っていた。だが、外務省から帰ってきたカディウによると、それは明らかに虚報であるということだった。

「いまにわかるさ」と、カディウは自信たっぷりに言いきった。

彼の話では、きょう、外務省の最大の関心は、イギリス政府の態度にかかっているということだった。カイヨーといった策士たちは、イギリス社会党によるイギリスの中立礼賛をやめさせるため、フランス社会党の指導者をして、ケヤー・ハーディにはたらきかけさせることを考えたらしかった。他方ポワンカレは、——なにしろイギリスの介入こそ平和確保のための最後の機会であることから——イギリスをしてフランス支持を宣言させるため、ジョージ五世に、親書を送ることを考えたらしかった。

「その親書というのはいつのことなんだ？」と、ジャックがたずねた。

「きのう」

「わかった！　つまりロシアが公式に動員令を発令し、ポワンカレに、戦争がもはや避くべからざるものであることがわかったうえでのことなんだ！」

誰ひとり、異議をとなえるものはなかった。

公式のものと思われるけさの電報は、英仏両国の参謀本部がたえず連絡をとっており、《行動計画について協議した》ことを伝えていた。それははたして軍事行動のことだろうか？　信頼すべき筋の情報によれば、イギリスは、その艦隊にたいしてすべての海峡の監視を命じ、商船の軍港への出入を禁じ、これら軍港を見おろす砲台には、すでに、砲兵が配置され、沿岸のあらゆる灯台は、今夜消灯するように命ぜられたということだった。

マルク・ルヴォワールがはいってきた。

ルヴォワールは、ヴィヴィアニとフォン・シェーン大使との、二度めの会談の模様を伝えた。首相は、《ドイツは動員を発令しました。この情報がわれらにはいりました》と言ったらしかった。そして、ドイツ大使が黙っているのを見ると、首相は言葉をつづけて次のように言ったらしかった。《貴国の態度は、ひいてわが国の態度を決定させることになります……しかし、ジョッフル将軍は、あくまで平和を守り抜こうというわれらの意思を、究極まで、そして万人の目に知らせようと思って、フランス全軍にたいし、国境から少なくも十キロのところまで後退することを命じました。これほどにしてもなお事変が生じた場合、責めは貴国にあると言わなければなりますまい！》

陸軍省と関係のあったパジェスは、すぐこの言葉に修正を加えた。彼によれば、フランスのとった処置は、なんら現実的結果をともなうものでない、というのだった。すなわち、それは、あらかじめ参謀本部の立てていた作戦計画になんら影響をおよぼすものではなく、ただ平和にたいするほんの表面上の譲歩にすぎない。彼の言うところでは、こうした一時的な後退は、単に外交上のかけひきにすぎず、メシミー陸相をとりまく人々のあいだでは、ヨーロッパの人心、とりわけイギリスの人心にはっきり呼びかけようという以外、なんの目的もないというのだった。

「たしかに」と、ジャックは言った。「やつらの目的は、同時にイギリスの同調をねらうにあるんだろう……だが、ぼくの思うところでは、やつらの主たる目的は、われらをやっつけることにあるんだ！　つまり、われら、平和主義をふりかざす連中を！　つまり、われらの意表にでよう、われらの共鳴を獲得しよう、われらに認めさせようと思ってなんだ！　最初、お手やわらかなところを見せ、それによって、われらをいざこざなしに軍当局と同調させようという、なんとも見あげたからくりなんだ。反対派の新聞が、あしたなんといって攻撃するかな。ぼくには、いまから想像できるな！」

このとき、こうした騒がしい言葉のやりとりをよそに書類整理をつづけていたギャロは、山のような書類のうしろから、とつぜん針ねずみのような顔をあげた。

「その証拠には、政府はそれを実際にやらないまえから、いそいで、しかも執拗に、そのことをこっそり党の指導者たちの耳にいれてたんだ！」

その風貌、ひよわそうな手足、貧弱な腰弁風なようすといかにもみごとな調和をみせたかみつくような彼のちょうしは、たとい彼が理屈のとおったことを言っているときでも、しばしば何かでたらめでも言っているような感じをあたえた。だがきょう、ジャックは、そうしたギャロの怒りのかげに、彼の目の、深い悲愁の表情の打ち消されずにいるのをみた。そこには、彼の顔のみにくさにもかかわらず、人を感動させずにはおかないものがあった。

若い闘士の一群が、編集室へ飛びこんできた。愛国者同盟の行進が、いましがたストラスブールの像（前出、コンコルド広場をとりまくフランス各州をあらわす像のうち、普仏戦争でうばわれたアルザス・ロレーヌの都ストラスブールをあらわす像には、いつも喪章がつけられていた）の前でデモをするため、コンコルドの広場へ向かっているといううわさだった。

「行くか？」とパジェスが言った。

一同は早くも立ちあがっていた。（みんなは、じつのところ、単に大向こうを張ってのひと騒動をやろうというより、《何事》かを決行するため、すすんでこの機会をつかもうといった気持ちに燃えていたのだった。）

ジェンニーは、ジャックが、みんなといっしょに行きたいのに、自分のためにためらっているらし

いことを見てとった。そして決然として、
「行きましょう」と、言い放った。

（続く）

解説

海嘯（かいしょう）吠えるその前夜に

七月二十八日、オーストリアはセルビアに宣戦布告し、まず局地戦の幕が切っておとされた。この日ジャックは、メネストレルの指令どおりにベルリンへむかう車中の人となる。車内でドイツ人乗客たちがかわす時局についての会話は、おなじ情勢について各国の国民がどんなに違った認識をもつものかを知らしめる。彼らに言わせると、自分たちこそが平和愛好者で、フランス人はいこじな気ちがいだ、となり、ジャックが、それならそれでなぜ危険なオーストリアの後押しをするのか、とたずねると、彼らは、ドイツはそれとは反対のことをしているのだ、平和か戦争か、その鍵を握っているのはフランスなのに、ロシアがフランスの軍隊をあてにできるというのがいけない、と言う。このなんでもない車中の一情景の描写が、私たちになんと貴重なことを語ってくれることだろう。

ベルリンに着いて指定されたカフェー、アッチンガー亭で接触したトラウテンバッハはジャックに、「きみには何もすることはないんだ」と言って、まずジャックをがっかりさせてしまう。ジャックの仕事は、あらかじめインターナショナルの大会が催されるブリュッセル行きの切符を買っておき、夜の十時半から駅の三等待合室のベンチでぐっすり寝こんだふりをしていて、ひとりの旅客がこっそり渡す書類の包みを受けとり、それをブリュッセルに運んでメネストレルに渡すというだけのことだ、とトラウテンバッハは説明する。「役に立つ行動だ！」とはりきってやってきたジャックの子供のつかいのようなこの使命は、なんとなく、不可解な機構のなかにはめこまれて翻弄される個人、という現下の状況を象徴するようでもある。

トラウテンバッハはオーストリア参謀本部の将校シュトルバッハ大佐がベルリンに来ていて、オーストリア・ドイツ両国の参謀本部の謀議を進めていることを嗅ぎつけ、この犯罪的な記録書類を大佐から盗みだして、それを明るみに出し、ドイツ国民ならびにインターナショナルを反抗にかりたてる、ということを考えついたのであった。ジャックが車中で話しあったドイツ人乗客の平和主義ドイツ論などは、これで吹っとんでしまうはずである。なぜならば、両国の軍部が政府の模索や試行にお構いなく、ひそかに独走して事を運び、全面戦争を準備していたことが判明するからである。勿論すでに述べたように、ドイツの承認がオーストリアの強硬策となって現われていること、セルビア＝ロシア、オーストリア＝ドイツという連携があることは、充分に予測も推測もなされていた。しかし、取り沙汰されるものは猫の目のように変わる複雑な様相であり、表面に現われるのは政府の行動、そして国民が知り得るのは政府に都合のよい情報だけである。あのドイツ人乗客たちのドイツ平和主義論が、この点をよく証明している。しかしトラウテンバッハが嗅ぎつけたものは、政府も国民もつんぼさじきにおかれて、戦争を職業とする軍人による路線がすでにしかれていたという、秘密の既成事実であった。それが実現されたとき、驚愕した政府の対策も民間の意思も、すでに手遅れなものとしかならない。戦争がこのようにして進められてゆくことについて、私たちは、満州事変の始まりから日中本格戦争にいたる日本軍部の独走を、思い出すだけで充分であろう。そして現代の日本において、私たちがしばしば神経質に憶測をたくましくして警戒するのも、この点なのである。

トラウテンバッハの命をうけた盗み屋が、ホテルの一室でシュトルバッハ大佐の機密書類をかすめとる場面は、映画の一コマを見るように小気味よく面白い。ジャックはそれを駅で受けとって、インターナショナルで湧きかえるブリュッセルにむかい、書類をそのままメネストレルに手渡す。メネストレルは宿の一室にひとり閉じこもり、二時間かかって書類に目を通し、ただちにドイツ・オーストリア両国参謀本部の通謀という事実の厳然たる証拠をつかむ。それは、はかり知れぬほど重要な《新事実》を提供していた。ドイツ軍部はカイゼルや宰相、それにドイツ社会民主党ならびにヨーロッパ全土に、動員をドイツの《正当防衛》と感じさせるために、ロシアの侵攻の姿勢を急がせる必要があった。そのためにはオーストリアの動員というロシアへの脅威を至急作り出さなければならない。そのことの実際的方策とその実行が書類には記録されていた。これによって、ドイツ社会民主党は、ロシア帝国主義にたいしてドイツ・プロレタリアを守るという戦いに賛成せざるを得なくなるであろう。ドイツ軍部は、政府のあずかり知らぬところで、ドイツ・プロレタリアとインターナショナル弾圧のために、世界平和と帝国の将来を危険にさらす策動を進めていたのである。だが、もしこの機密書類がドイツ社会民主党指導部の手にはいったら、それはまさに彼らの「反戦闘争のための恐るべき武器」となるに違いない。この「すごい爆発力を持った武器」をうまく使ったら、まさに「戦争を流産させることだって」できるかもしれないのである。軍部は社会主義者の攻撃のまえにかぶとをぬいで、出しかけていた手を急いでひっこめ、資本主義的戦争計画はくつがえされるかもしれない。

メネストレルは「戦争も、革命も、おそらくはある程度、このおれの持っている封筒三つにかかっているんだ！」と自覚しながらも、「だが、戦争を防止することがはたしていいか？」と自問し、「いかん！……たとえ百にひとつの戦争防止の機会があったとしても、断じてそれをやってはならない！」と考えて、やってきたジャックに、文書はぜんぜん無価値なもので、報告するにあたらない、と答え、書類をトランクのなかにしまいこんでしまう。怪物メネストレルがそのどすぐろい本性を顕わしたのである。それにしても、ジャックとメネストレルというふたりの作中人物に、歴史的大事実たる大戦を防止できたかもしれぬような重大な役割を賦与するというこの虚構は、まったく大胆不敵というほかはない。このことについては、前巻で述べておいた。

しかしこの時点では、まだメネストレルは書類を手許に保存しておこうという考えのようである。これを彼が焼きすててしまうとき、何かが決定的なものとなる。そして、彼をそのようにさせる原因について、私たちはまた、彼自身の肉体と精神の問題に触れてゆかなければならない。

ブリュッセルの労働者大集会には五、六千人の群衆が集まり、インターナショナル本部総会から代表者たちが帰ってくるのを待っていた。本部総会では「攻撃的戦争の場合」と「守勢的戦争の場合」という問題で、はげしい論争がつづけられていた。すなわち、ある国が侵略を受けた場合、その国の労働者がストライキを行なえば、自衛の戦いを麻痺させられて、その国は「必然的に侵略者の蹂躪にまかされる」ことになる、という問題である。ドイツ、ベルギー、フランスの代表にこの主張が多かった。しかしこれにたいして、「国民を戦争に引きずりこもうとする政府は、つねに必ず、敵から攻撃されたように見せかける」ものであるから、いずれを明確に「侵略国家」と定義するかがむずかしくなるということがある。このいわば永遠の問題をめぐっての結論がどうなったかはわからぬままに、代表者たちが大集会に姿をあらわし、ジョーレスをはじめ次つぎと演説をして、群衆を興奮で燃えあがらせ、デモ隊はいっせいに「インターナショナル」を歌って街へとくり出してゆき、ブリュッセルは一挙にヨーロッパの平和の首都になったような観を呈する。ジャックは「これでよし、これで平和は救われたんだ！」と興奮して、デモの波に押されて歩く。

この群衆のなかで身を寄せあっていたパタースンとアルフレダの顔は、いつもと違っていた。パタースンの眼には気ちがいじみた輝きが、そしてアルフレダの顔には売春婦のような「悪びれぬ淫蕩さ」が現われている。おなじデモの渦のなかでジャックは、メネストレルが「今夜、アルフレダはどうやら……ホテルに帰ってこないらしい」と言う、苦しげな声を聞いたような気がする……（私たちには最初から、パタースンとアルフレダがあまりにもくっつきすぎていることが気になっていた。）

翌七月二十九日。パタースンはジャックに、アルフレダをイギリスに連れて逃げることにしたと告げる。「きみには、彼女と彼（メネストレル）との生活がどんなものかがわからない……人間以下だ……まったく無だ！きみには彼がどういう人間だかわかっていない！」というパタースンに、ジャックは「党には指導者が必要なんだ。この際とくに……」とその裏切りを責めるが、パタースンは出てゆく。

「人間以下」とパタースンの言う「彼と彼女の生活がどんなものだったか」、それはジャックにも私たちにもわからない。しかし、不可解で恐ろしいメネストレルの破壊主義者的な性格が、飛行機事故による負傷からきた肉体的（性的）欠陥のゆえであるらしいことは、パタースンの「まったく無だ！」という言葉に暗示されている。この際、すなわちついにヨーロッパ大同団結のデモが繰りひろげられたそのときに、スイス革命家集団の首領メネストレルは部下と恋人に裏切られ、一つの細胞に分裂をきたしたのである。それはなにか不吉な予兆を感じさせる。

ジャックはメネストレルのところへ駆けつける。メネストレルは出発の用意をしていた。机のうえに二通の封筒が置かれている。パイロットはそれをとりあげて、細かく破って暖炉の火にほうりこんだ。見ると、その暖炉のなかが、ついいましがた何かを燃した灰でいっぱいになっている。女を失って絶望したメネストレルが、あのシュトルバッハ文書をトランクから出して焼きすててしまったのだ。一瞬にして失われた戦争阻止の切り札！しかしジャックには、自分が運んだあの書類が、そんなに価値のあるものだったとは聞かされていない……メネストレルは、「何から何まで空の空だ……」と吐きすて、「きみといっしょに出かけようと思ってね、きみといっしょに」と言う。そうだ、メネストレルにはもう何もない、ジャックといっしょに行くほかはない……

七月三十日。パリに帰ったジャックの見たものは、一夜にして危機に瀕している、このうえ反戦闘争の気運だった。左翼新聞までがいっせいに論調を変えていた。もはや戦争が避けられぬとみて、このうえ反対を固持するは誤りだという考えに変わっていたのである。ひとりの記者がジャックに、きみは「時局認識がおくれている」、いまではインターナショナルのなかでさえ、大多数のものが一般大衆と歩調をそろえて、「自分たちの領土を守ろうとしている」と言い、そうした人たちを愛国主義者と呼ぶより、現実主義者と呼ぶのが正しいのだ、と説く。いまは国際的同胞愛よりも、フランス国民としての同胞愛だ……

ジャックはフォンタナン家へとタクシーをとばす。ただひとり待っていたジェンニーのやさしい目を見て、ジャックは、きわめてすなおな態度で腕をひろげた。そしてふたりは、はじめての抱擁をかわす。メネストレルとアルフレダは団結のさなかに決裂し、ジャックとジェンニーは崩壊の不安のなかで結合する。

ジャックの動員に服さないという決心を聞いて、ジェンニーはそれは「自分にもわかっていた」と思う。そして、使命を思い出して立ち去ろうとするジャックに、「じゃまなんかしないわ……だからいっしょにつれてって」とせがむ。ジャックは新しいジェンニー——闘争のための同志を見出して、「よしつれて行こう！　ぼくの友人たちを紹介しよう」と叫び、まずは莫大な遺産を匿名でインターナショナル本部におさめるために、ジェンニーとともに街へと出てゆく。そしてふたりは、集会から集会へと走りまわるのである。

外務省でリュメルと会って、事態が新聞の報道ほどには進んでいないことを聞いて帰宅したアントワーヌは、アンヌの夫シモン・ドゥ・バタンクールの訪問をうける。娘のユゲットについての相談にきたのであった。アントワーヌはシモンの慎ましく誠実な人柄に接しているうちに、アンヌとの関係をきっぱり打ち切ろうという決心ができていた。しかしこの決意は、私たちがすでに見たように、しだいに彼の心のなかに固まりつつあったものなのだ。アンヌとの情交のごとき、世界を震駭させている事件のまえでは、色褪せたものとなり果てていたのである。だが、「いけない……こんなことをしていてはいけない……人生はこんなものであるべきではない……自分第一と考えるのもいいだろう……だが、そうした陰には、ひどい目に合わされる多くの人々、軽々しく踏みにじることの空おそろしく思われる多くの人々の運命が存在している……おれのような人間、おれのような生活、おれのやっているような行為、そうしたものからこそ、世の中の混乱、虚偽、不正、精神的苦悩が生まれてくるのだ……」というアントワーヌの反省は、自分が妻を寝とっていたまじめな男を前にしての人間的感情であると同時に、それが人生一般の問題へと拡大されている点において、アントワーヌの精神のうちに一つの革命がおきていたことを告げるものである。あの名誉欲にかられたエリート主義者アントワーヌ、快適な生活にあぐらをかいていたブルジョワ医師アントワーヌは、生まれかわった。だが彼は、ただちにジャックのような人間にかわるのではない。アントワーヌはあくまで、アントワーヌらしく生まれかわるのである。

であるから、フランスの動員に服して応召するかどうか、という問題をとってみても、兄弟はそれにたいして、正反対の答えを出す。ジャックの根本理念は、「暴力によって世界を蹂躙させないたったひとつの方法は、自分自身、あらゆる暴力を肯定しないことにある！　人を殺すことを拒絶すること」、である。彼の答えははっきりと、医者であろうとあるまいと、「召集に応じて動員される者は、すべて国家の政策に賛成するもので、その結果戦争までも承認する者」というわりきったものとなる。これにたいしてアントワーヌの場合は、民主主義国家において、政府が政権を握っているということ自体、大多数の意思を正当に代表していることにほかならず、動員されて召集に応ずるというのも、つまり「そうした国民の総意に従うことなんだ。たとい、政権を握っている政府の政策にたいする個人的の意見がどうであろうと！」という答えとなる。そしてジャックが、「いったいなんの名において」大多数というものが個人の正当な主張を犠牲にし、神聖な自分自身の確信よりも国民としての服従を優先させねばならぬのか、と問うと、アントワーヌは、「社会契約の名においてなんだ」としっかりした声で言いきる。ここでの、「いかなるものの名において」という問いにたいしては、アントワーヌも平凡ながら明確な答えを持っているのである。「ぼくは忍ばなければならないんだ。従わなければならないんだ」と言う彼は、召集があれば、自分に定められているコンピエーニュの五〇四連隊に、歩兵大隊付軍医として従軍するのが当然だ、と考えている。アントワーヌの精神生活に革命がおきているといっても、それはあくまで秩序の信奉者アントワーヌとしての枠内における変革である。だが、その変革がもはや元に服することのないものであることは、アンヌからの電話に受話器の放置で応える、彼の無言の訣別がよく知らしめてくれる。

だが、アントワーヌは、診察室へもどろうとはしないで、廊下へ向かったドアまで行って鍵をかけ、ディヴァンまでもどってくると、タバコをとり出して火をつけた。そして、沈黙に返った受話器が、まるで死んだへびとでもいったように身をくねらせ、きらきら光ったままおかれているテーブルのほうへ一瞥を投げてから、椅子の上にならべてあるクッションに、ずっしり重く身をよこたえた。

ここには、あのジャックとジゼールの別れの場面の悲しさも美しさもない。にもかかわらず、それが私たちに衝撃的ともいえる感動を与えるのは、生まれながらの語り手たる作者のみごととしか言いようのない達人芸のたまものによるのか、それとも、元来雄々しくしかも重厚なアントワーヌの性格に具わる、重量感の威圧によるのだろうか？

アントワーヌがアンヌとの愛欲生活にけりをつけた七月三十一日、ジャックはジェンニーとの恋のさなかにあった。黙って、影のようにジャックによりそい、パリの街から街へとついてまわるジェンニーは、もう以前のかたくなな娘ではなくて、あのジゼールとおなじ女、ひたすらに純粋な愛もてジャックを慕うやさしい女になっていた。いま恋はジェンニーに、一生いちどの幸福な瞬間を与えているのである。ジャックはそのようなジェンニーの小さな心に、本当にこたえてやれるのだろうか？　「あたし、ヴェールをつけてきたりしてばかだったわね……向こうがわへ渡って、あの花屋さんを見ないこと？……暑さもやっとおさまってくれたわ……」こうした「むじゃきな言葉」は、男に心をゆるした女のしあわせが言わせる言葉である。しかしジャックは、「花屋の店も、ヨーロッパ問題も、この日の気候も、すべてをたちまち同列においてあやしまないジェンニーを見ると」、いささかいらだたしくなって、「こんなことに、かかわりあわせていいのだろうか？……」と考えてしまう。いつも追いたてられているジャック、恋する女のやさしさも、彼に一時の安息さえ与えることはできないというのだろうか？

街には、ドイツ動員の報が走っていた。フランスはどうするのか？　《ユマニテ》社から出てきたジャックは、待っていたジェンニーに、緊急閣議が召集され、参謀本部の対策が講じられていることを教える。参謀本部は政府に即刻動員令を発動させるよう迫っていた。ドイツは戒厳令下にあり、新聞にも箝口令がしかれ、デモはいっさい禁止されたという。「頼むところは、民衆の蜂起だ」——ジャックは最後ののぞみをそこに託する。そして、ドイツ社会民主党の代表委員ヘルマン・ミュラーがあすパリにきて、ジョーレスと会見するという噂に、両国の労働者の戦争反対の大決起を夢みる。それは、そのすぐあと、ジョーレスの暗殺によってはかなくついえる夢だったのだが。

ジャックはジェンニーにジョーレスの姿をひとめ見せてやろうと考えて、クロワサン亭へと入っていったのだった。ここでふたりは、有名な歴史的出来事であるジャン・ジョーレス暗殺の現場に立ちあうことになる。左翼の偶像ジャン・ジョーレスは、フランス参戦の直前にモンマルトルのカフェーで、熱狂的愛国主義者ラウール・

ヴィランの兇弾に斃れたのであった。ジャックが「まだ動員をせきとめることのできるたったひとりの人」と考えていたジョーレスの死をもって、何かが終わり何かが始まるとでもいうように、国旗を振りまわし、声をかぎりにラ・マルセイエーズ（フランス国歌）をどなり、「ドイツを倒せ！　カイゼルを倒せ！　ベルリンへ！」と叫んで、通りもせましと愛国青年たちのデモがあふれ出る。そのなかに、ジャックもジェンニーも巻きこまれてしまう。

ジャックの身にも危険が迫ってきた。陸軍大臣がブラック・リストに載っている要注意人物の逮捕命令に署名したというのである。「嘘は言わねえ、ずらかれよ！」同志のひとりがジャックに忠告する。泊まる宿さえ危なくなったジャックに、「家にいらっしゃいな。家だったら、すこしもあぶなくないし」とジェンニーが囁きかける。フォンタナン夫人はウィーンに、ダニエルは連隊にと、家にはジェンニーひとりなのに……彼女はしっかり考えたすえ、「自分のよしと思うところによって行動している」のだった。平和ののぞみがほとんど断たれたその夜、ドイツがフランスに宣戦布告するその前夜、ジャックとジェンニーはついに肉体的にも結合することになる。

「ではおやすみ」と、彼が清らかな気持ちでジェンニーを抱いてやると、「もっとしっかり……」とジェンニーは、こみあげる情熱と陶酔感でジャックを強くだきしめる。「彼女はむじゃきな大胆さでふるまいながらも、ジャックにくらべてはるかにおそれを知らなかった」。彼女は自分から、ジャックをベッドのところまで押しやる。ふたりは固くだきあったまま、そこに倒れる。「しっかりだいて」と彼女はくり返しながら、腕をのばして、テーブルの上の電気を消す……彼の頭に、稲妻のように、「おれたちにしてもか……」という思いがひらめく。「おれたちにしても、ほかのやつらと変わりがないのか……」口惜しさ、絶望、恐怖のかげが、彼の欲情とまじりあう……なんということであろう！　あわれなジャック！　またしても肉体の愛に裏切られるジャック！　抽象に生きる人間の、肉体的にはまずしい不毛の愛！……しびれるような緊張の瞬間がすぎたとき、彼は、解放の感じ、恥ずかしさの感情とともに、「身を切られるような悲しさ、さみしさのまじった気持ち」でわれにかえる。ジャックが最初に眠りに落ちた。ジェンニーは幸福感にひたって、ぴったり彼によりそいながら眠りに落ちてゆく……それはフランスにとって、平和の最後の一夜であった……

店村新次

本書は2010年刊行の『チボー家の人々 10』第11刷をもとにオンデマンド印刷・製本で製作されています。

訳者：
山内義雄
（1894 ～ 1973）
1950年「チボー家の人々」により芸術院賞受賞
訳書マルタン・デュ・ガール「ジャン・バロワ」
　「チボー家のジャック」他多数

解説者：
店村新次（たなむら　しんじ）
（1919 ～ 1991）
同志社大学名誉教授，文学博士
主著「ロジェ・マルタン・デュ・ガール研究」

白水uブックス　47

チボー家の人々　10　　一九一四年夏（Ⅲ）

訳　者 © 山内義雄（やまのうち　よしお）
発行者　及川直志
発行所　株式会社 白水社
東京都千代田区神田小川町 3-24
振替　00190-5-33228　〒 101-0052
電話（03）3291-7811（営業部）
　　（03）3291-7821（編集部）
www.hakusuisha.co.jp

1984 年 3 月 20 日第 1 刷発行
2022 年 11 月 25 日第 17 刷発行
表紙印刷　クリエイティブ弥那
印刷・製本　大日本印刷株式会社
Printed in Japan

ISBN978-4-560-07047-5

乱丁・落丁本は送料小社負担にてお取り替えいたします。

Roger Martin Du Gard: *Les THIBAULT*